钟南山
健康忠告

叶依｜编著

Zhong Nanshan jian kang zhong gao

江苏凤凰科学技术出版社

图书在版编目（CIP）数据

钟南山健康忠告 / 叶依编著 . -- 南京：江苏凤凰
科学技术出版社，2016.6（2020.2 重印）
ISBN 978-7-5537-6232-6

Ⅰ . ①钟… Ⅱ . ①叶… Ⅲ . ①保健 – 基本知识 Ⅳ .
① R161

中国版本图书馆 CIP 数据核字 (2016) 第 057454 号

钟南山健康忠告

编　　　著	叶　依
责 任 编 辑	樊　明　　葛　昀
责 任 监 制	方　晨

出 版 发 行	江苏凤凰科学技术出版社
出版社地址	南京市湖南路 1 号 A 楼，邮编：210009
出版社网址	http://www.pspress.cn
印　　　刷	天津旭丰源印刷有限公司

开　　　本	880mm×1230mm　　1/32
印　　　张	4
版　　　次	2016年6月第1版
印　　　次	2020年2月第2次印刷

| 标 准 书 号 | ISBN 978-7-5537-6232-6 |
| 定　　　价 | 26.00元 |

前言 Preface

　　很多病人因为久病的缘故，心情像装上了一扇大门，快乐被幽闭其内。这样的病人见到钟南山院士，总会喋喋地诉说病情，钟院士总是像一位故交静静地聆听，时间一分一秒地过去十分钟二十分钟是常有的。听完患者的倾诉，钟院士总像是握住了打开患者心锁的钥匙。上了点年纪的病人，常常和钟院士聊着聊着就哈哈地大笑，然后不自觉地站起来，"唉？我怎么哪里也不疼了？"

　　话聊，让无数患者在钟院士的门诊大大地受益，让重病在身的患者先行卸下了心病。近年来，民众越来越重视养生，也越来越科学理性地对待养生。钟院士的健康知识，就像他开导患者的话语一样，春风化雨，质朴亲切，让人打开心结。

　　几年来每当编写钟院士的健康科普书籍时，他都自谦地对我说，养生的知识他还有待更多研究。但是广大读者与出版社总是热切期盼，因此这一本养生知识的书籍又即将出版。

几年来，每当阅读钟院士这些书籍中的话语，读者都会有明显的感觉，与许多专家的科普文章不同，他的养生知识时常并不显得对号入座，但句句是那么的将心比心，读来受用。

　　几年来，钟院士的科普书籍，令很多读者感慨：这样一位令人敬佩的好医生，大专家，没有半点说教气息，他推心置腹，把科学养生的健康意识，润物无声地植入读者心田。

　　需要特别说明的是，为了更好地照顾读者的阅读体验，在征得钟院士审读并同意的情况下，本书内容是以钟南山院士为第一人称讲述的。轻松地读完这本书，相信你会以愉悦的心情，去将书中的养生知识，每天每时地实施，这是对你真挚的回赠，也是钟院士最期盼的行动。

　　希望每一位读者快乐而健康地生活。

叶依

目录 Contents

第三章

常见呼吸道疾病的防治

第四章

居家老年人最应该注意什么

第一章
正确认识健康

健康忠告

◆ 健康就像是空心的玻璃球，工作像皮球，玻璃球摔落
  下来会碎，不会跳起来，皮球掉地上能弹起来。健康
  坏了难以再恢复，但是工作干不完还可以继续干。

◆ 美国苹果公司联合创始人、前CEO乔布斯曾经说过，
  "活着是为了改变世界，难道还有其他原因吗？"我
  加了一句，"不活能改变世界吗？"这样才完整。

◆ 在影响人类健康的决定性因素中，遗传、社会环境、
  自然环境等因素都不是我们自己能左右的，唯有生活
  方式，我们可以自己选择它、控制它和改变它。20年
  前的生活方式，决定20年后的身体状况。

◆ 健康的身体取决于良好的生活习惯，最好的医生是你
  自己。

01 健康的定义和标准

20世纪80年代中期，世界卫生组织(WHO)对健康重新定义："健康是身体上、精神上和社会适应上的完好状态，而不仅仅是没有疾病或者不虚弱。"这个定义一直延用到现在。从健康的定义看，健康涉及到躯体健康、心理健康、社会适应、道德健康，这4个方面结合起来才能说明一个人是不是完美健康的人，而不单纯是身体健康。

世界卫生组织对健康的定义，说明人是社会的人，这提示我们医学工作者在预防、诊断和治疗疾病的时候，不仅要考虑到患者的身体情况，还要考虑到社会、心理、精神、情绪等因素对人体健康的影响。现实生活中，由社会、精神因素引起疾病的例子很多。比如：人在情绪激动时可以引起血压升高、心脏病发作；较大的精神打击可以使人的眼睛突然失明；情绪郁闷可以引起胃部不适等。这些现象都说明人的身体状况是受社会、精神因素的影响的。

世界卫生组织提出了衡量健康的10项标准，我们可以对照这10项标准，评估衡量自己的健康状况。①有充沛的精力，能从容不迫地担负日常生活和繁重工作，而且不感到过分紧张与疲劳。②处事乐观，态度积极，乐于承担责任，事无大小，不挑剔。③善于休息，睡眠好。④应变能力强，能适应外界环境的各种变化。⑤能够抵抗一般性感冒和传染病。⑥体重适当，身体匀称，站立时，头、肩、臂位置协调。⑦眼睛明亮，反应敏捷，眼睑不易发炎。⑧牙齿清洁，无龋齿，不疼痛；牙龈颜色正常，无出血现象。⑨头发有光泽，无头屑。⑩肌肉丰满，皮肤有弹性。

02 累、烦、躁，亚健康不容忽视

健康是正常状态，生病是非正常状态。但是现代社会竞争很激烈，我们的工作压力越来越大，生活节奏越来越快，很多人就处于健康与得病的灰色地带，功能性的改变、生命质量有改变，比如老睡不着，很容易乏力，胃口差，抵抗力差，经常感冒，口腔溃疡等等，但是检查一下身体，血液以及其他生理功能并没有异常，医院的检查是正常的，但是常常觉得自己很累，心情很烦，对人比较容易急躁，或者情感上也不如意，常常使你的心态很烦闷，这实际上是一种亚健康的状态。

亚健康是第三态，非常值得我们重视的，也是中医学所说"治未病"的重要地带。我国曾经发布一份中国白领的健康报告，结果发现亚健康人群，主要集中在白领、金领人群里。白领的健康问题里，常常有脊椎、腰椎等骨质增生的疾病，还有肠胃、失眠疾病。钟院士说，"我记得《南方日报》有一位老记者，有脊椎病，后来实在不行，写稿子要躺在床上写，一低头就疼得要命，这也是我们这一行的职业病。"

2009年我国发布了一个报告，在一些地区，亚健康的比例达到了76%。亚健康状况最多见的是北京，第二位是广东，然后是上海。相对比较低的是四川，但也低不到哪儿去，达到60%。广东是亚健康比例较高的。

除此之外我们的环境也与亚健康相关，我们80%以上的时光是在家里、办公室度过的，办公室、家里的空气怎么样、环境怎么样，与我们的健康关系密切。现在有一个新的名词——病态建筑综合征，这个综合征的表现其实跟亚健康有关系，比如说眼干、耳鸣、鼻塞等。

03 人有三个年龄

每一个人都有三个年龄，自然年龄、生理年龄、心理年龄。自然年龄，是指一个人自出生后所经历的年月，每经过一年增加一岁。一般人们所讲的"岁数"指的是自然年龄。

生理年龄，指从人体的生物学和生理学的角度来衡量人的年龄。生理年龄是根据机体的各个系统、器官及组织细胞的结构和功能所表现出来的生长、发育、衰老程度。现在的高收入人群，如白领、金领，多数的生理年龄比自然年龄大，30岁、50岁的人，假如说测定体内的激素水平，包括性激素以及其他激素水平，往往30岁就相当于40多岁了，40岁就相当于50多岁，也就是说生理功能比自然年龄要老得快。为什么？白领、金领的工作压力大，一个小年轻每天熬夜到很晚，一大早爬起来上班，又要打电话问问行情，早餐没有吃，背着大包，每天都这种状态，大家可以想象他的身体怎样。媒体上经常报道的"过劳死""早衰"现象，这些人是重点人群，值得警惕。

心理年龄，是指以人的大脑功能及心理衰老的程度来衡量人的年龄，主要表现在人的智力、情感和精力方面的变化。心理年龄是由自己决定的，有些人虽然年龄很大，但是心理很年轻。邓小平同志1992年初视察深圳时，旁边有人扶着他，走路也有些困难，但是他的思维非常超前，很有气魄，在当时提出了"为改革开放为杀出一条血路来"的宏伟构想。由此可见邓小平同志的心理很年轻，一点守成、暮气都没有。

自然年龄，这是不可改变的，这对所有的人都绝对公平。但生理年龄是可以改变的。如果我们积极地养生保健，就可以有效地延缓生理年龄。若保养得当，70岁左右，外貌和50岁相似，我的照片拿出去，用电脑软件扫一扫大概是60岁，我就很开心了。

心理年龄的差距是最大的，自然年龄并不能完全代表人体的衰老程度，所以，注意自身的养生保健，延缓自己的生理，并让心理永葆青春是非常重要的。

04 最大的幸福是健康地活着

我们的长辈经常讲起福禄寿喜财，其中以寿为先。这表明自古以来人们就非常重视健康。什么是幸福？钟院士认为健康就是幸福！2007年《中国经济周报》有个报道，调查不同群体对幸福关键因素的选择，结果是幸福群体认为健康是最重要的，而不幸福群体也认为健康最重要。

人的自然寿命是多少？最近有很多研究。一种计算的方法，寿命是人的生长期的5～7倍，人的生长期是20～25年，自然寿命应为100～170岁。另外还有一种方法，根据寿命期为性成熟期8～10倍算，人的自然寿命应为110～150岁。另外还有一种比较科学的计算方法，根据细胞分裂的指数计算。人类全部细胞约能分裂50次，细胞有端粒酶，自己分裂控制因素，平均每次分裂周期约为2.4年，因此人的自然寿命应为120多岁。

钟院士说，人的自然寿命很长，可现实生活中经常出现因疾病原因而早逝的事件，尤其是近几年频发，值得大家警醒。我举几个最近出现的例子，2015年1月16日，歌手姚贝娜过世，活了33岁，发现乳腺肿瘤已经比较晚了，失去了手术的机会，在正是风华正茂的时候走了。上海市高级人民法院副院长邹碧华，突发心脏病去世，才47岁，微信朋友圈里有这样的一段话"多想星际穿越，从五维空间提醒他，休息一下吧，多给家人一些时间"。2015年，广州越秀区公安分局广场派出所所长谭耀华一直在春运安保第一线工作，当时他腰痛很厉害，但他还是坚持在工作，直到3月去世，终年才52岁。歼-15舰载机研制现场总指挥罗阳，为使战机尽早在航空母舰上起飞，不知道付出了多少努力，也是突然得病，终年51岁去世。近十年有很多猝死的人或者因病去世的人，在40～50岁，正是风华正茂、大展拳脚的时候。这么多活生生的案例摆在眼前，我们需要深思问题出在什么地方。

美国苹果公司的联合创办人、前CEO乔布斯曾经说过这样的话，"活着是为了改变世界，难道还有其他原因吗？"让我印象特别深刻。乔布斯说得有一定道理，但如果在后面再补充一句"不活能改变世界吗？"这样会更准确。人生最重要的支柱就是健康的身体。如果没有健康的身体，你什么都没有了，就等于零。马勒博士曾经说过，"有了健康并不等于有了一切，但是没有健康就肯定没有一切"。

我经常做一个比喻，健康就像是空心的玻璃球，而工作像皮球。玻璃球摔落下来会碎，不会跳起来，皮球落下是可以弹起来。这就是说，健康跟工作不同，健康往往就是单行线，球掉下来碎了就难以弥补，但是工作干不完，还可以继续干。健康对自己、对家人、对社会是非常重要的。

05 不提倡带病坚持工作

现代社会有三大猝死的原因。一个是心脏疾病，如心跳骤停、心肌梗死、心律紊乱。第二个是脑中风。我有一个好朋友，搞药物研发的，新药上市要做的事很多，他着急了，结果大面积脑出血，抢救了8个月，现在醒了，但是很多东西忘了。第三是肺栓塞，长时间坐飞机或者长期卧床一下子起来，下肢的静脉血块一下子脱落下来，就阻在肺动脉里造成死亡。

2011年有个计算，我国每年死于心脏病的有55万，也就是说每天有1000多人猝死。这不是离我们很远的事，很有可能在我们的周围出现。为什么会造成过劳死？主要是由于信息技术革命带来的影响，社会竞争的加剧，还有观念的嬗变。我始终有个疑问，为什么对一些社会精英在他们去世之后进行宣传，而不能在他们没有去世时进行好好宣传？认为不加班就是没有事业心的表现，我并不认同这种观念。

国防科技大学张国春教授，是我国著名的兵棋专家，2014年因病逝世，中央军委追授他一等功。张国春博士的日记上写了这样的话"命为志存"。我很佩服他、赞赏他，也很尊重他这种崇高的思想境界，但是我觉得"命为志存"不够全面，我希望改一改，改什么呢？"长命为志存"，假如活得长一些，是不是可以更好的实现自己的志向。我们能不能在他们活着的时候更多的宣传他们，让他们活得更好，可以为国家做出更多的贡献。

因为追求事业需要加班的人很多，经常要加班的人差不多占了50%，但是我并不是很支持这样去做。据统计每年过劳死约有60万人，我国已成为过劳死的第一大国。网友总结了13个过劳死的重灾区，包括高级审计师、IT业从业者、外企500强精英、工厂工人、网编、网店店主、公关公司职员等。

记住，磨刀不误砍柴工，轻伤就要下火线。当感觉身体状况不好时，体力有透支的倾向时，就停下来好好休息。

06 健康的头号杀手是不良生活方式

健康的四大决定因素，内因是父母的遗传，大概占全部因素的15%。外因就是社会环境，占到10%，另外是自然环境，占到7%。医疗条件越来越好，也占到8%。但是最为重要的还是生活方式，生活方式占到60%。实际上《黄帝内经》荟萃了先秦诸子百家的养生之道，很多讲的都是要注意天人合一、要注意顺其自然、要注意心态平衡、要注意饮食、要注意运动、要注意疾病的早防早治等，我们的祖先很早已经注意到这些问题了。

有个漫画家绘制了一幅"现代病"的漫画，汉堡包肚、孕妇肚等，这边说减肥，那边还在拼命吃巧克力。现在不少人一天到晚坐在那里，一有空就坐在那里低着头看手机，屁股都长出"常春藤"了，而且腰椎也不好了。我现在看到越来越多的年轻人是这样，这些是不是我们常常遇到的问题呢？

健康第一是要活得长，第二是要活得好。活得长不长，活得质量高不高，很大程度上取决于你自己对健康的看法，以及你自己生活的方式。

现在的人年纪大了才会关注养生，其实为时已晚！养生应该是30岁左右开始。很多不良生活习惯是青年时候养成的，比如说抽烟喝酒，所以应该从青年时候就要养成好的生活方式，而不是中年、老年时再考虑。

07 "馋""懒""使用烟草"三大因素导致慢性病

随着经济的发展，我们的生活富足了，生活方式也发生了很多变化，如食物消费取向的转变、出行交通工具的飞速变化、工作条件的日益改善等，导致了膳食结构的失衡和生活日趋静态化。

现代生活在带给现代人类尽可能的物质享受和精神愉悦的同时，不可避免的给人类带来了前所未有的健康隐患。慢性病的自然进程是健康危险因素作用的长期积累、叠加、协同的过程。

世界卫生组织报告提出，导致慢性病的危险因素是常见的、可变的，其中最主要的三个因素是不健康饮食、不锻炼身体和使用烟草。在世界所有地区、所有年龄组，无论是男性还是女性，这些危险因素是导致绝大多数慢性病死亡的原因。

首先，不良饮食习惯是慢性病的基础。在我国，随着物质生活的改变和中西方文化交流的迅速发展，人们的饮食模式从20世纪50～70年代的以粮食和蔬菜为主，油、鸡蛋、鱼、肉等的定量供给，转变成现在的高脂肪、高蛋白、高热量的"三高饮食"。尤其是城市居民，膳食结构不合理，畜肉类及油脂消费过多，而谷类食物的摄入不足。

脂肪摄入量超过合理摄入量的上限，是造成营养过剩的主要因素。营养过剩导致超重和肥胖人群大幅度增加。超重和肥胖是心脑血管疾病、糖尿病、恶性肿瘤等慢性病的共同危险因素。身体超重和肥胖时，人体会发生不利的代谢改变，包括血压升高、"坏"的胆固醇增多以及对胰岛素抵抗增高，导致高血脂、高胆固醇和糖耐量降低，此时已处于疾病的高危状态；如果不注意，不去改善不良生活习惯，就会进而发展为高血压、冠心病、糖尿病等，成为慢性病患者；如果仍不重视，不采取干预疾病发展的健康生活方式，最终将导致心、脑、肾功能的损害，使身体致残，甚至致死。

不锻炼身体是导致慢性病的第二大危险因素。摄入多，消耗少，摄入与消耗的不平衡是造成肥胖的根本原因。如今，许多工作的性质改变了，我们往往只需要坐着干活就行了；交通方式也在不断变化，我们走路的时间越来越少了；日益发展的城市化，也使我们的身体活动逐渐减少。

体力活动的减少可导致超重和肥胖，会增加高血压、血脂紊乱、冠心病等慢性病发生的危险。德国海德堡大学医学院的研究表明，运动对冠心病、动脉斑块的消退起着重要的干预作用，非运动组斑块加重比例竟然是运动组的4倍。

超重和肥胖曾经被视为仅在高收入国家存在的问题，但在中低收入国家，尤其是在城市环境中，现在也呈急剧上升的趋势。我国卫计委的资料显示：目前全国成人约有2亿人超重，6000多万人发生肥胖，超重率已达22.8%，肥胖率为7.1%，与1992年相比，我国居民的超重率和肥胖率分别上升了38.6%和80.6%，其中18岁以上成年人分别上升了40.7%和97.2%，累计超重和肥胖人数增加近1亿人，这样的增长态势实在令人担忧。

最后，吸烟可增加多种慢性疾病的患病危险，早已是一个不争的事实。烟草内含数十种毒性物质，多项流行病学的研究已证实，吸烟可促进冠心病、肺癌和慢性支气管炎、慢性阻塞性肺疾病等慢性疾病的发生与发展。

我国目前有3.5亿的吸烟人群，不吸烟的人群中有一半以上也遭到"二手烟"的危害。《柳叶刀》杂志2006年发表的一项汇集了52个国家健康调查的数据显示，全世界每年至少480万人死于吸烟。世界卫生组织预测，如果目前的吸烟模式持续下去，到2020年，每年因吸烟的死亡人数将增加1倍，达到1000万人。

这是多么严峻的形势啊！

08 保持健康应当遵从自然规律

人的身体有一个生物钟，最好有自己的一个生活规律，让生物钟比较正常的运转。当然每个人的情况不太一样，有的可能早睡早起，有的人晚睡晚起。像毛主席，一般是工作到凌晨一两点钟，早上起得就迟些。有的人喜欢晚上工作，因为觉得安静，工作起来效率高。我认为最重要的是相对形成规律。因为有时候再晚睡，到一定的时候也会醒。睡眠是调整生物钟非常重要的一个环节。

所以，人总的来说是比较适合恢复到人的自然天性，就像鸟一样自然的天性。自然天性是什么呢？早睡早起。一直以来，人类在大自然的生活法则就是早睡早起，天黑了就睡觉，天亮了就起床，这跟太阳升起的自然规律是一样的。

鸟儿也是一样。天黑了，鸟儿根本就看不见，它是有夜盲症的，除了猫头鹰。所以我们要遵循规律，要慢慢恢复到自然。对老年人有这方面的要求，婴幼儿、年轻人也有这方面的要求，恢复到自然以后，对身体比较好。

09 午觉是加油站

虽然我的工作很多，每天的日程排得很紧，但我的生活还是很规律。我基本是晚上11:30左右睡觉，早上7点起床。我很重视睡眠，一般情况下，我尽可能保证充足的睡眠，睡7.5小时，再加上中午半个小时的休息，每天尽量能保证8小时。

睡眠对所有的人来说都很重要，保证充足的睡眠时间是健康的需要。我的工作不允许我懒洋洋的睡到八九点再起来，我根本做不到，年轻的时候也没有试过这样。白天需要处理的事务性工作多，有时想要静下心来思考一些问题常常被打断。我最主要的工作一般安排在晚上，尤其是需要仔细思考的，如备课、写东西、修改文章、研究课题等要自己亲自做的事情，因为安静下来了。我晚上绝不会用那么宝贵的时间去消遣，那是不可能的。

到了晚上怎么让自己的心平静下来，以便安然睡个好觉？老实说，太累的话，我不会做功课了，看看报纸，或者是看看电视。电视我不会选择很紧张的，主要还是选择看自己喜爱的体育比赛，比如说篮球赛，田径赛，排球赛等，但时间也很少，也要到10:30以后了。

午觉是一个很重要的加油时间。我每天午休半小时，午休对一天的工作影响很大，特别是对下午的工作。我生活在广东，温度相对比较高，人容易疲倦，午睡一会儿，下午工作起来精力会好一些。现在已经比较多的人认为这实际上是一个好习惯，但是城市里的人工作节奏快、压力大，就很难有午睡。这其实不好，要尽量创造条件午睡一会儿。

健康生活小贴示

∶ 选用适合自己的睡眠用品

充足的睡眠对健康必不可少，也是重要的减压方式。我赞成早睡早起的作息习惯，争取保证每天8个小时的睡眠时间。当然，每个人的具体情况都不太一样。有些人可能习惯早睡早起，有些人则习惯晚睡晚起，但作息时间一定要有规律。

我的床垫是海绵的，软硬比较适中。老年人睡太软的床垫对脊柱不好。我的枕头是棉质的，其高度比一般人用的枕头低一些，这样的枕头能让颈部保持"自然"的形状。较高的荞麦皮枕头对睡眠没什么好处。我在家里习惯穿棉质、浅色的家居服。常看淡蓝色、淡绿色等较淡的颜色能让人的心情放松下来。我还经常光着脚在地板上走，这样可以让脚趾舒缓一下，从而消除脚部的疲劳感。在晚上用热水泡脚是很好的养生方法。但我常常没有时间泡脚。我有时会在晚上做一次足疗，这样可以睡得更好。

∶ 保持合理的饮食结构

我年轻的时候根本不考虑饮食营养方面的问题。过了50岁，我的心脏出了毛病，才比较重视这个方面了。对于我来说，早餐是不能少吃的。我上午的工作十分繁重，需要投入更多的精力，因此在早餐时要吃一些富含能量的食物。我的早餐食谱为：1杯牛奶、几片面包、1碗白粥、1盘蔬菜、1个鲜橙或1杯新榨的橙汁、少许的奶酪、两个鸡蛋中的蛋清和1个鸡蛋黄。鸡蛋黄中含有较多的"坏"胆固醇，但也含有人体必需的多种氨基酸及卵磷脂、高密度脂蛋白、蛋黄素、钙、磷等营养物质。这些营养物质对神经系统的功能是大有裨益的。因此，鸡蛋是很好的健脑食品。在晚餐时，应吃得清淡一些，即使是参加晚宴也应如此。对很多人来说，肉食是很有吸引力的。但人体往往不需要太多肉中所含的营养素。总之，不要凭味道来选择食物，而应凭营养需求来选择食物。

补充多种维生素

我一般不吃滋补品，但会服用多种维生素片。很难说服用维生素片会改善人体的哪些功能。我只是认为，人们不一定能从饮食中摄入足够的维生素，因此应该适当地服用维生素片。在中医保健方面，我对针灸不太了解，但我认为按摩推拿对人体健康是有益的。

常做腹式呼吸

我经常进行平静而深沉的腹式呼吸。人们往往只用胸部呼吸，实际上用腹部呼吸对健康是非常有益的。在进行腹式呼吸时不要大口地呼吸，而应做平静地深呼吸，在吸气时应让腹部挺起来。这种呼吸方法可呼出停滞在肺底部的二氧化碳。在情绪急躁或工作特别忙的时候，人们应让自己暂停一下，并安静地做一段时间的腹式呼吸。这样可以缓解紧张急躁的情绪，而且能调整血压和心率。

工作应张弛有度

我在工作很多时，会掌握轻重缓急（但对方往往认为是非常急的）。如果不是很急的事，我就找助手去处理或拖几天再做。以前，我总是恨不得每天都把当天的工作全部做完，生怕得罪了别人。现在我了解到，在身体不堪重负时，即使知道会得罪人也要老实地跟他说承担不了。有时候，懂得拒绝才能留住健康。

⋮ 少发脾气

做一个和气的人是不容易的。有时候，你看到非常不符合事实的事就可能会动怒气。但我逐渐了解到，在处理事情时发脾气，只会使事情向不好的方向发展。如果能够克制自己的怒气，则往往会使事情向良性的方面发展，而且能和相关的人保持良好的关系。事实上，我患的心脏病和过去性情急躁易怒有很大的关系。因此，人们在生活和工作中应少发脾气，多做一些让自己快乐的事。对我来说，最快乐的三件事是：解决了一个疑难病例、研究工作得到了认可或所写的文章发表在一个非常高水平的杂志上。快乐给我带来了更强的信心和力量，也大大提高了我的工作效率。

⋮ 经常锻炼

通常在下午下班后、吃晚饭之前，我会在家里的跑步机上跑20分钟，再做一些仰卧起坐、拉力和引体向上等运动，每天会运动45分钟左右。但我如果白天出诊，晚上会感到特别累，就不做运动了。在没有场地的时候，我也会做一些简单的运动，如做做俯卧撑和高抬腿等。在进行锻炼后，我会觉得精神舒畅，好像一下子年轻了很多，特别有朝气。这样，我可以有更多的精力进行工作。但人们不要在晚上9点后进行锻炼，以免影响睡眠。

第二章
健康的六大基石

健康忠告

- 健康的一半是心理健康，疾病的一半是心理疾病，保持好心情有益健康。

- 若想身心松，四乐在其中。经常做到知足常乐、苦中作乐、自得其乐、助人为乐。

- 什么时候把身体锻炼看作与吃饭、睡觉、工作一样，是生活中不可或缺的重要组成部分，那你的精神境界就会达到新的高度。如果达到这个高度，每天的锻炼时间一定能挤出来。

- 想要身体安，三分饥和寒。保持七八分饱最合适。

- 戒烟从什么时候开始都是正确的。

- 疾病预防投入的成本最小，效果最好。

- 雾霾，更多的是人祸，而不是天灾。健康远比GDP重要。

第一基石 心理平衡

在健康的影响因素中，心理平衡是最关键的。到现在为止我还在努力让自己的心理平衡，因为太多的外来引诱也好、刺激也罢，很多时候对我的心态影响也很大。如果这个关过好了，生活就会非常好。

"健康的一半是心理健康，疾病的一半是心理疾病"。这话我非常赞成，因为我的人生已经走过了很长的日子，所以我很有体会。健康的一半是心理健康，合理膳食占到25%，适当运动、戒烟限酒占到25%。有学者说过：一切不利的影响因素中，最能使人短命夭亡的莫过于不良的情绪和恶劣的心境，如忧虑、惧怕、贪求、怯懦、嫉妒和憎恨等。我认为此话很有道理。

01 快乐的心情提高工作效率

我觉得自己很容易找到快乐。解决一个疑难病，这个时候我会很开心；我们的研究工作得到了同行的认可，或者是研究成果发表在一个高水平的杂志上，这个时候，我也非常开心。究其原因，快乐带给我的是信心和力量的增加，并且大大提高了我的工作效率。

在英国前几年做过一个有趣的调查：世界上谁最快乐？8万多个答案，经过评审选出了4条——

（1）作品刚刚完成，吹着口哨欣赏自己作品的艺术家。

（2）正在用沙子筑城堡的儿童。

（3）为婴儿洗澡的妈妈。

（4）历经千辛万苦后，终于成功抢救了重病患者生命的外科医生。

我很有感触，在自己喜爱的工作或是事物中享受快乐，这是非常美好的人生体验。在非典期间，我经常在第二天早上见到所里的年轻人经过一个晚上的抢救工作，眼睛都熬红了，但是他们还是很开心。因为患者抢救回来了，虽劳累辛苦，但他们觉得自己的付出有价值，很快乐，很享受。

02 好心情是防癌"警察"

不良情绪和恶劣的心境，容易造成紧张。我们知道，从生理的角度讲，紧张、焦虑这些因素会作用在我们的大脑皮层，一个信号回转转移到下丘脑。下丘脑会作用于垂体，再分泌一些激素作用于肾脏，分泌肾上腺皮质激素及肾上腺素。这两个激素的大量分泌，有时候对人体会起到保护作用。后者可以使心跳加快，呼吸加速和血压增高，在遇到一些紧急情况会帮助人体全力以赴自卫，比如说一只狗突然冲过来，你紧张起来就会进行防卫。但反复接受这样的刺激是有害的。这两种激素都会通过一个特殊的生理系统，引起肥胖，引起糖尿病，导致身体免疫力下降等。

有人在微博里调侃，"中国人现在很多时候变成最着急、最不耐烦的地球人"。在国外的一些地方，人们都非常轻松，而中国人很着急，什么都赶时间，寄信是快递，牌照最好是立等可取，坐车最好是高速公路、高速铁路、磁悬浮，坐飞机最好是直航，做事最好是名利双收，创业最好是一夜暴富，结婚最好是有现房现车，排队最好是能插队。整个人处于一种紧张、急躁、浮夸的状态中，这种情绪很容易产生不好的传导机制，身体也就容易出问题。

科学研究发现，每一个人血液里有白细胞90多亿，其中50亿是特别能战斗的抗癌细胞。人体一天可生成3000个癌细胞，多数人身上并未生成真正的癌，是因为在我们的身体里面，又有众多自然杀伤细胞（NK）专门负责对付癌细胞，使其在萌芽状态时就被及时杀灭。NK细胞的作用就是杀灭肿瘤的细胞，一有肿瘤细胞出现，就有5个NK细胞围着它，钻进去将肿瘤细胞杀死。当人体情绪处于低潮时，而且经常是很内向、很抑郁时，NK细胞分泌系统功能被抑制，从而降低了它们的杀伤癌细胞的作用，这就是相当多的肿瘤患者精神状态有问题的原因。当然这也不是绝对的，比如说肝炎、肝硬化、肝癌等有不同的情况，但是情绪的好坏是很重要的原因。情绪乐观的人，一般对肿瘤的抵抗和免疫力会更好。

03 人生有追求，更容易长寿

按照弗洛伊德的观点，要实现心理健康，就要学会追求、学会包容、学会忍耐、学会糊涂、学会平衡、学会珍惜、学会感恩、学会生存等等。每一个人都应该有自己的追求，这对于一个人的健康生活是非常重要的。有一个追求的目标，一切为实现这个目标而服务，那么周围一些不愉快的事情也就不以为然了。康德曾经说过，"没有目标的生活就像没有罗盘的航行，目标是我们的动力，信念是我们的支柱"。

生活有目标，长寿概率高，这是有根据的。根据韩国的资料，4.3万人的受试者，年龄在40～90岁，被观察了7年。有一组是有明确生活目标的，比如说要带大孙子等；还有一组是没有明确生活目标，或者是不确定的。结果经过7年，没有明确生活目标的这一群人，有3000多病死或者自杀，比有明确目标的多1倍，心脑血管疾病也多1倍。这个研究结论我是非常相信的，因为在我的周围，我的同学很早就退休了，有的已经退休20年了，我观察他们有一些人还在坚持做工作，活得很开心，身体也很好，但是无所事事的就身体不行了。

孔子说"知之者不如好知者，好知者不如乐知者"。我的理解是，知道的人不如喜好的人，喜好的人不如陶醉其中的人。就像我们对待一份工作，你愿不愿意做好这一份工？有三个层面："薪甘情愿"，"心甘情愿"还是"辛甘情愿"。你属于哪一种？你的工作动力是属于哪一个层次的？假如每一个人对待工作都能够达到"辛甘情愿"的话，那就是最高的境界，这个集体的工作一定会非常出色。

每个人都有一个人生追求，而且这个人生追求是应该发自内心的。我特别欣赏王国维《人间词话》中的一句话，它代表了人的三个层次追求。第一个层次，"昨夜西风凋碧树，独上高楼，望断天涯路"。第二个层次，"衣带渐宽终不悔，为伊消得人憔悴"。第三个层次是"众里寻他千百度，蓦然回首，那人却在灯火阑珊处"。

我觉得这是一个人追求的境界，我自己也有这样的追求。我是1960年大学毕业，毕业以后很快遇到文化大革命，6～7年什么也没有干成，当过锅炉工、当过农民。当时我属于反动知识分子的后代，家分成三处，我、我爱人和我的小孩在三个地方。但我从来没有放弃，我自己一辈子总觉得要有一个追求。1971年回到广州当住院医生，后来分配出来做慢性支气管炎，研究这个病，当时没有人愿意做这个事。就这样，我们建立起呼吸科，1979年成立研究所，我一直都有追求，就是要做出点事。1993年成为广东省重点学科，1994年建立了广东省重点实验室，2003年我们研究所得到了国家、地方政府的重视，2007年成为国家重点实验室，是中国唯一一个呼吸疾病国家重点实验室。我现在快80岁了，还想往前追求，希望搞成亚洲呼吸中心，希望搞成高水平的产学研中心，希望活得有意义，也可以活得长一些。

04 执著追求，但不苛求

一个人要有追求，注意是追求，不是苛求，不能太苛刻。这个目标应该是你经过努力可以达到的追求，而不是漫无边际的追求，你要知足。马云大起大落，但是他很开心。他说：看一个人是不是优秀，不要看他是不是哈佛或者斯坦福毕业；看一家公司是不是优秀，不要看它拥有多少名牌大学毕业生；要看这些人是不是发疯一样干活，下班后是不是笑咪咪的回家。这就是他的心态。我很欣赏，干活时拼命干，但是回家却是笑咪咪。要求太高，干不到的事情就不要干了。曹操写了《龟虽寿》，"老骥伏枥，志在千里。烈士暮年，壮心不已"。曹操在那个年代活的不算短了，去世时63岁，他一直在追求。

我的看法是，要有追求，但是不要苛求，应该改变能够改变的，接受不能改变的。当事情无法改变时，我们可以通过改变态度来改变自己的处境。这是富兰克林说的。

纪伯伦也说过，一个背向太阳的人只会看到自己的阴影，一旦转过身来，眼前就会充满明媚的阳光。也就是说看一个事情要有不同的角度，有时候是很悲哀、很有挫折的事，但是换一个角度可能对你是很大的鼓舞。我就经历过这些，所以我看问题不会太绝对。有追求，但是应该知足常乐。

05 人生四乐是良药

得意时助人为乐，失意时自得其乐，一般时知足常乐，困境时苦中作乐。这就是我的人生四乐，在自己有能力的时候要多帮助别人，在自己过得一般的时候要知足常乐，而当自己处于逆境中时，则要学会善待自己。

我生活起起伏伏，经历过很多事，得意的时候少，一般的状态多。我想主要是失意的时候很艰难，对人的影响太大了，这个时候的心态平衡最重要。

保持好心情，很重要的一条就是助人为乐。当你帮助了人，使得人家解除痛苦或者解决了问题，他很感激你，你自己会产生活性激素，也会使你觉得很开心、很幸福，这就是孔子说过的"仁者寿"。

2010年在广州召开亚运会，我记得我去参加开幕式，结束之后离开，隔20米就有一个志愿者，他们沿途就说再见，而且给大家指路，他们没有机会看比赛，但是他们非常开心。"我志愿，我快乐！"虽然他们非常累，躺着都可以睡着，但是却非常快乐。

广东有个长者，在101岁时还能爬9999级增城白水寨的天梯，他说如果老人退休之后多做一点好事、服务社会，你一定会心情愉快、健康长寿。助人为乐人缘好，有好人缘就会有凝聚力，有凝聚力就有好心情。

世事无常，我们每一个人都会经历非常艰苦的过程，但是我们都能体会这么一句话"不经一番风霜苦，哪得黄梅吐清香"。我很欣赏一幅艺术品，1957年潘鹤的《艰苦岁月》。塑造的是万里长征的途中，一位老红军在战斗之余坐在草地上吹笛子，一名红军小战士靠在他腿边，仰望着天空。他穿得很破烂，但小战士眼睛很有神采，正在憧憬着战斗胜利后，他有一个幸福的生活。这个画洋溢着革命乐观精神，很困难时我常常就会想起它，鼓励自己坚持，相信明天一定更美好。

苦中求乐，比如说与癌共存，和癌症和平共处。肿瘤造成的死亡率有人统计过，大概1/3就是治疗也不行了，有1/3是过度治疗死亡，有1/3是吓死了。我有一个身边的故事，有个患者50多岁，有个肺部阴影，一检查是癌，过几天准备做手术，但是他没有思想准备，结果在病房里躺在床上看着天花板一动不动，做了手术3个星期就去世了，他是精神完全崩溃了。但我有朋友几年前得了肾癌，左肾切除，2001年肺转移，左肺叶切除，2005年又患脾肿瘤，大剂量放疗，一直到现在还好好的。他说既然病来了，就把它当做朋友。广东外语外贸大学有位老教授，罹癌后与时间赛跑，绽放别样夕阳红，他跟肺癌斗争了7年。他说有一个勇敢的心，一切都可能。老人现在80岁了，还编纂了《汉法大辞典》。非常希望大家能够在这些方面解放出来，能够很好的对待。

现在我有点时间，老伴也有时间，所以家里养了条小狗，我每次回家都在门口等我，所以也很开心。我们自己要调整自己的心情，任何地方都要善于找到自己的乐趣。

06 人天生需要别人的尊重

人跟动物最大的不同，就是人天生需要别人尊重，哪怕是楼下的一个清洁工，如果他得到你的尊重他也会很开心。每个人，无论有多少不足或缺点，你总会找到他的发光点和优点。你在懂得尊重别人的同时，也就获得了好人缘。这是一个颠扑不破的道理。我作为留学生在英国伦敦学习时，就深刻体会到这一点。

我是1979年第一批教育部派出国留学的，出国时我已经40多岁了。当时英文考了51.2分。原来想没有希望了，但那时国家刚恢复高考不久，全国考得都不好，就把分数降低到45分及格。结果我就幸运过关了。我们16个人是从北京坐了9天火车到达英国。当时我除了做研究以外，还非常想参观一下病房。但当时英国不承认中国医生的资格，不能去查房，只能呆在实验室。我想参观一下医生查房应该可以吧。但要到病房，还必须要得到内科系主任罗伯逊教授的同意，我提了很多次想见罗伯逊教授的申请都因"教授没有时间"而被拒绝。

后来，他的秘书看到我坚持不懈，就与教授商量，教授终于同意给我10分钟见面。我一听，10分钟我能讲什么？我的英文也不太好。我当时有些急，我突然想起曾经在图书馆看过一本他写的新书《医学生伴侣》。我脑子转了一下有了想法。我进去后很直接就聊到了他写的这本书，教授得知我看过他写的书有些意外。问我觉得怎么样？我说跟一般教科书不一样，很有一个整体观念，它将人体解剖、生理、病理、疾病及治疗的原则的叙述连贯起来，比如：什么是异常？异常以后有什么表现？怎么治疗？对学生的启发不会分成一块一块的知识，而是直接的了解，我觉得对学生的学习很有作用。

我的看法恰好说中了教授写书的初衷，他一听就高兴了，说不是很多人能理解的，然后高兴地向我讲起了写书的过程。结果后来秘书说10分钟到了，他说我很忙了，不要打扰，继续与我探讨。后来，我看了一下表，我们谈了将近70分钟了。

这时，我说希望参观一下其他的病房，同时看一看其他人的实验。他说完全没有问题，我给你安排。我走的时候他叫住我，说想送我这本书。当时这本书价格是120英镑。那时候我们每个月的零花钱只有6英镑，我去医院的时候，坐地铁都舍不得花钱，坚持步行去。但当时他真的给我了，120英镑对我来说真的是天文数字。

第三天，出版社果然送来他的那本书，并伴有一封信，"希望向中国的读者推荐"。我从这件事得到一个深刻的启发，就是真心赞扬他人的长处，而不是刻意恭维，就一定能得到别人的认可。到现在为止，超过30年了，我始终把这一本书端端正正地放在书柜的第一排，有时经常抬眼看看，提醒自己该怎么做人。

做人就是要学会尊重别人，人天生是需要尊重的。要善于发现别人的长处，而且要宽容。我们经常在看问题时，会有不同的角度。当出现了分歧意见，不要一下子否定别人，你得听听别人有没有道理，不要互相指责，而且也不能仗势欺人。

宽容可以使我们与别人相处得好，而相处好对大家的身体非常重要。如果一个团队中大家都有这种爱心，我相信这个团队会非常温暖。

健康生活小贴士

如何修得好人缘

我最大的成功，应该是会做人，因为自己努力修得好人缘，这是一个人的巨大财富。有了它，事业上会顺利，生活上会如意。但它不会从天上掉下来，而是需要你的辛勤努力。

尊重别人。俗话说："种瓜得瓜，种豆得豆。"把这条朴素哲理运用到社会交往中，可以说，你处处尊重别人，得到的回报就是别人处处尊重你，尊重别人其实就是尊重你自己。

有这样一个有趣的故事：一个小孩不懂得见到大人要主动问好、对同伴要友好团结，也就是缺少礼貌意识。聪明的妈妈为了纠正他这个缺点，把他领到一个山谷中，对着周围的群山喊："你好，你好。"山谷回应："你好，你好。"妈妈又领着小孩喊："我爱你，我爱你。" 不用说，山谷也喊道："我爱你，我爱你。"小孩惊奇地问妈妈这是为什么，妈妈告诉他："朝天空吐唾沫的人，唾沫也会落在他的脸上；尊敬别人的人，别人也会尊敬他。因此，不管是时常见面，还是远隔千里，都要处处尊敬别人。"小孩朦朦胧胧地明白了这个大道理。

乐于助人。人是需要关怀和帮助的，尤其要十分珍惜在自己困境中得到的关怀和帮助，并把它看成是"雪中送炭"，视帮助者为真正的朋友、最好的朋友。马克思在创立政治经济学时，正是他在经济上最贫困的时候，恩格斯经常慷慨解囊帮助他摆脱经济上的困境。对此，马克思十分感激。当《资本论》出版后，马克思写了一封信表示他的衷心谢意："这件事之所以成为可能，我只有归功于你！没有你对我的牺牲精神，我绝对不能完成那三卷的巨著。"两人友好相处，患难与共长达40年之久。列宁曾盛赞这两位革命导师的友谊"超过了一切古老的传说中最动人的友谊故事"。

帮助别人不一定是物质上的帮助，简单的举手之劳或关怀的话语，就能让别人产生久久的感激。如果你能做到帮助曾经伤害过自己的人，不但能显示出你的博大胸怀，而且还有助于"化敌为友"，为自己营造一个更为宽松的人际环境。

心存感激。生活中，人与人的关系最是微妙不过，对于别人的好意或帮助，如果你感受不到，或者冷漠处之，因此生出种种怨恨来则是可能的。经常想一想吧：你在工作中觉得轻松了，说不定有人在为你负重；你在享受生活赐予的甜蜜时，说不定有人在为你付出辛劳……生活在社会大群体里的你我，总会有人为你担心，替你着想。享受着感情雨露的人们不要做"马大哈"，常存一份感激之心，就会使人际关系更加和谐。情感的纽带因为有了感激，才会更加坚韧；友谊之树必须靠感激来滋养，才会枝繁叶茂。

同频共振。俗语说：两人一般心，有钱堪买金；一人一般心，无钱堪买针。声学中也有此规律，叫"同频共振"，就是指一处声波在遇到另一处频率相同的声波时，会发出更强的声波振荡，而遇到频率不同的声波则不然。人与人之间，如果能主动寻找共鸣点，使自己的"固有频率"与别人的"固有频率"相一致，就能够使人们之间增进友谊，结成朋友，发生"同频共振"。

共鸣点有哪些呢？比如说：别人的正确观点和行动、有益身心健康的兴趣爱好等等，都可以成为你取得友谊的共鸣点、支撑点，为此，你应响应，你应沟通，以便取得协调一致。当别人飞黄腾达、一帆风顺时，你应为其欢呼，为其喜悦；当别人遇到困难、不幸时，你应把别人的困难、不幸当作你自己的困难和不幸……这些就是"同频共振"的应有之义。

真诚赞美。林肯说过：每个人都喜欢赞美。赞美之所以得其殊遇，一在于其"美"字，表明被赞美者有卓然不凡的地方；二在于其"赞"字，表明赞美者友好、热情的待人态度。人类行为学家约翰·杜威也说人类本质里最深远的驱动力就是希望具有重要性，希望被赞美。因此，对于他人的成绩与进步，要肯定，要赞扬，要鼓励。当别人有值得褒奖之处，你应毫不吝啬地给予诚挚的赞许，以使得人们的交往变得和谐而温馨。

历史上，戴维和法拉第的合作是一个典范。虽然有一段时间，法拉第的突出成就引起戴维的嫉妒，但其二人的友谊仍被世人所称道。这份情缘的取得少不了法拉第对戴维的真诚赞美这个原因。法拉第未和戴维相识前，就给戴维写信："戴维先生，您的讲演真好，我简直听得入迷了，我热爱化学，我想拜您为师……"收到信后，戴维便约见了法拉第。后来，法拉第成了近代电磁学的奠基人，名满欧洲。

诙谐幽默。人人都喜欢和机智风趣、谈吐幽默的人交往，而不愿同动辄与人争吵，或者郁郁寡欢、言语乏味的人来往。幽默，可以说是一块磁铁，以此吸引着大家；也可以说是一种润滑剂，使烦恼变为欢畅，使痛苦变成愉快，将尴尬转为融洽。

美国作家马克·吐温机智幽默。有一次他去某小城，临行前别人告诉他，那里的蚊子特别厉害。到了那个小城，正当他在旅店登记房间时，一只蚊子正好在马克·吐温眼前盘旋，这使得职员不胜尴尬。马克·吐温却满不在乎地对职员说："贵地蚊子比传说不知聪明多少倍，它竟会预先看好我的房间号码，以便夜晚光顾、饱餐一顿。"大家听了不禁哈哈大笑。结果，这一夜马克·吐温睡得十分香甜。原来，旅馆全体职员一齐出动，驱赶蚊子，不让这位博得众人喜爱的作家被"聪明的蚊子"叮咬。幽默，不仅使马克·吐温拥有一群诚挚的朋友，而且也因此得到陌生人的"特别关照"。

大度宽容。人与人的频繁接触，难免会出现磕磕碰碰的现象。在这种情况下，学会大度和宽容，就会使你赢得一个绿色的人际环境。要知道，人非圣贤，孰能无过。

因此，不要对别人的过错耿耿于怀、念念不忘。生活的路，因为有了大度和宽容，才会越走越宽，而思想狭隘，则会把自己逼进死胡同。《三国演义》中，周瑜是个才华横溢、心胸狭窄的英雄人物，但据史书记载，周瑜并不是小肚鸡肠，而是因为自己的大度宽容拥有一份好人缘。比如说，东吴老将程普原先与周瑜不和，关系很不好。周瑜不因程普对自己不友好，就以其人之道还治其人之身，而是不抱成见、宽容待之。日子长了，程普了解了周瑜的为人，深受感动，体会到和周瑜交往，"若饮醇醪自醉"——就像喝了甘醇美酒自醉一般。

诚恳道歉。有时候，一不小心，可能会碰碎别人心爱的花瓶；自己欠考虑，可能会误解别人的好意；自己一句无意的话，可能会大大伤害别人的心……如果你不小心得罪了别人，就应真诚地道歉。这样不仅可以弥补过失、化解矛盾，而且还能促进双方心理上的沟通，缓解彼此的关系。切不可把道歉当成耻辱，那样将有可能使你失去一位朋友。

英国前首相丘吉尔起初对美国前总统杜鲁门印象很坏，但是他后来告诉杜鲁门，说以前低估了他，这是以赞许的方式表示道歉。

解放战争时期，彭德怀元帅有一次错怪了洪学智将军，后来彭德怀拿了一个梨，笑着对洪学智说："来，吃梨吧！我赔礼（梨）了。"说完两人一起哈哈大笑起来。

减少过失。当然，一个人要想保持良好的人际关系，最好尽量减少自己的过失。曾子讲：吾日三省吾身。为拥有好人缘，一个人应不断检讨自己的过失、提高个人的修养才是。

⁝ 腹式深呼吸能减压

现代社会压力无处不在，无时不有。在压力下工作，已经成为了人们职业生涯中的常态。有的时候，一个人可能因为阻力太大或者太劳累等原因，会不愿意去上班，不愿意进办公室。

我是反过来的，压力越大，我越想进办公室，我好像从来没有过不想去，因为不想去的意识是对这个工作厌烦。工作压力对于我来说，有时候不是从上级来的，而往往是从患者来的，从科研而来，因为疑难问题要解决，科研课题要完成，不可能一下做得到，一定要评估，需要花费时间和精力。

我一直有追求，追求都会产生压力，但也是有压力才会产生新的动力，推动工作不断向前，能够建立更好的平台，给年轻一辈创造一个好的条件。当压力大的时候，紧张、焦虑、头痛、失眠、颈椎痛等都找到了你，怎么办？我的减压之道就是多用深呼吸调节，就是腹式呼吸，中医叫作吸气从丹田出来，慢慢的呼吸以后就深的呼吸，这样反复做几次。

多数人一般呼吸只是停留在胸部，实际上最好的呼吸是用腹部。不要大口呼吸，就是平静的呼吸，再就是深，它能够调节心律，调节心态。太急了或者事情太多了，暂停一下，安静的深呼吸。做了几次以后就会对血压，对心律都有好处。

方法很简单：先慢慢地由鼻孔吸气，吸气过程中，胸廓上提，腹部会慢慢鼓起，再继续吸气，使整个肺充满空气，这时肋骨部分会上抬，胸腔会扩大，最后呼气。这个过程一般需要10～15秒，然后屏住呼吸2～3秒钟后，开始新一次的呼吸。

这个简单的动作真给你帮大忙，通过深呼吸训练，所有的肺泡都在产生前列腺素，前列腺素进入血管，使血管扩张，血压降低。如果可能的话，每天早中晚3次，每次10分钟会产生一定的效果。深呼吸助人减压，改善失眠状况。呼吸的深度和频率得到调节之后，绷紧的神经得到缓解，因为压力造成的颈部不适也可以得到减轻。

不仅如此，深呼吸更能防治呼吸系统疾病。支气管炎、哮喘、肺气肿患者的肺部都处于无弹性和扩张状态，影响肺活量。深呼吸可防治疾病，但是已发生动脉硬化，尤其是高血压、心血管和脑血管疾病患者，以不进行深呼吸锻炼为宜，以免诱发心脑血管意外。因为强烈的深呼吸虽使血液含氧量明显增加，却会使组织器官的供氧量显著减少。有心绞痛病史的冠心病患者，若强烈地深呼吸常会诱发剧烈的心绞痛发作。

第二基石 戒烟限酒

01 抽烟危害多，戒烟益处大

我是不赞成抽烟的。抽烟在我国是一个大问题，我国的成人吸烟率很高，女性比较少，但是女性对烟比较敏感，患病率也在上升。有位知名演员一直抽烟，当时69岁，一发现已经是肺癌晚期了。他说："我们是用特殊材料制成的人，就能抽用特殊材料制成的烟，这么讲吧，凡是点着了能冒烟儿的，除了导火索我都抽过……"

还有一位非常著名的院士，一次我们一块吃饭，他说抽烟有很多好处，譬如灵感的源泉、友谊的桥梁、寂寞的伴侣、痴呆的良药、非典的克星、纳税的大户、健康的表现等，洋洋洒洒讲了十点，实际上这些都是误区。他的身体基础非常好，肝功能很好，心脏很好，肌肉也很好，最近他检查，发现自己得了慢性阻塞性肺疾病，在体力活动后会出现气紧。这个问题就是多年吸烟造成的。

芬兰学者曾对21123名参保人员（50~60岁）进行了23年随访，发现5367人患阿尔兹海默病（25.4%），其中吸烟者（每天2包）患病率为非吸烟者的2.5倍。这说明中年时烟瘾大，到老年易痴呆。

英国在20世纪70年代患肺癌率非常高，中国往后还会更高，现在上升非常快。英国后来降下来了，因为抽烟和肺癌大概隔10年，不要庆幸不得病，抽烟的得病概率高。在先进国家中吸烟率明显下降，美国、日本、英国等抽烟率都在下降，唯有中国上长。最近有好消息，烟草税收会增加1倍，可能会有点用。

我接触的患者太多了，有患者说自己用过滤嘴，低焦油、低危害等，还有的说吃中药降低烟草危害，这是很荒谬的。很多欺骗的宣传造成很多人抽烟，实际上医学早就证明低焦油危害更大，因为不过瘾，每次吸烟都要深吸一下，更糟糕。

02 让民众自觉控烟是我的理想

我常常跟人讲，戒烟不分早晚。邓小平86岁的时候咳嗽得很厉害，在保健医生的联名劝阻下，他果断地在第二天戒烟，毅力让人佩服，活到了93岁。

在中华医学会第九届全国呼吸病学术年会上，我和几位学会领导面对在场的上千名医生，倡议医生带头控烟，并亲自折断一根近一米长、具有象征意义的香烟。我对中国的控烟形势忧心忡忡，多次在各种场合强调，希望医生、公务员、教师三类人群带头戒烟，做出表率，影响更多的人。

与国外相比，我国医生、公务员、教师吸烟的比例要高得多。以国外医务人员为例，在上世纪80年代可能吸烟的比较多，但是他们比较容易认识到危害性，现在吸烟的医务人员就很少了。而中国男性医务人员总体吸烟率接近50%。虽然无烟医院推行后情况有所好转，但仍不容乐观。

我希望医务人员带个头，因为有7～9成的吸烟者每年与医生接触，而近7成戒烟成功者是听从了医生的劝告。医生是协助戒烟的最佳人选，烟草是医生面对的最可预防的致病因素，医生在临床提出健康的建议比任何人都令人信服。

我也希望算清楚一笔账，让政府不要重视以人民身体健康为代价换来的烟草税收。2012年4月9日，作为牵头人，我和中国工程院院士秦伯益联合其他28名两院院士，致信《中国科学报》，反对"中式卷烟"项目入围国家科技进步奖。这样做，不是说我们和这个项目的主持人有什么恩怨情仇，主要是基于公众的健康利益考虑，这种项目的评选应当考虑科学伦理。

03 吸烟与肺癌是什么关系

我着重谈一下吸烟与肺癌的问题。20世纪80年代初，英国、德国和美国的男性人群中肺癌的发病率开始上升。当时医学界提出了各种各样的理由，但并没有认为吸烟是重要的原因，只把注意力投向柏油马路上的尘埃、工厂的污染气体和燃煤产生的烟雾等。

20世纪90年代国际医学界相继发表了5个大型的病例对照研究的结果，所有这些研究都显示吸烟与肺癌有密切的联系。同期英国《肿瘤学杂志》发表了一篇著名的研究文章：通过50年观察，比较不抽烟的、已经戒烟的和还在抽烟的三组人群的肿瘤发病率，发现每日抽烟支数跟多个肿瘤是完全成正比的，抽得越多，肿瘤的发病率越高。

特别是肺癌的患病率增加7~24倍，喉癌高6~10倍，冠心病高2~3倍，都非常明显。根据对这些事实的分析，近半个世纪以来烟草消费增加最快，或许能说明和解释在多个国家肺癌患者急剧增加的原因。

目前全世界每年死于与吸烟有关疾病的人数高达300万，相当于每10秒钟就有1人死亡。专家预计这一数字在2020年将上升到1000万人。

肺癌病死率在我国部分城市也居首位。哈尔滨、北京、天津、上海、武汉5个城市调查结果显示，对男性来说，肺癌病死率占第一位。目前在这5个城市里有3个城市呼吸系统疾病的病死率超过了乳腺癌，位居第一。

戒烟和洁净的空气非常重要，大家可能觉得是老生常谈，但是作为呼吸系统来说极为重要。据观察，发现吸烟不但跟肺癌有关系，跟其他肿瘤有关系，而且肯定抽烟越多，肺癌发病危险性越大。

一天抽超过20支烟，得肺癌的概率比不抽烟的高10倍以上。我们80年代熟知的Marlboro烟的广告代言人，他的西部牛仔形象曾深入人心，但他得了肺癌死的，他临死前说自己后悔因为抽烟得了肺癌而离开这个世界。

还有资料证明，配偶吸烟越多，其爱人得肺癌的概率也越高。1990年英国有个资料，30岁戒烟的，40岁戒烟的，50岁戒烟的，还有继续抽烟的，得肺癌的机会跟不抽烟的人比起来差别很大，这是一位英国专家做的调查。事实上，英国吸烟率一直在下降，男性降到21%了，男性肺癌病死率现在降了差不多1倍，抽烟越少降越快。上海的资料也证实了这点，吸烟戒2年以上，患肺癌的危险性降低2.3倍，戒烟5年降低到2.5倍。

04 戒烟的十大好处

如果你是吸烟者，你应该改变这种不文明和不健康的行为，戒掉它！如果你戒烟成功，你就会从中得到以下好处：

戒烟人的寿命长于继续吸烟的人。一般说来，50岁以前就戒烟的人，在其以后15年内死亡的危险将比继续吸烟者降低50%。

吸烟者患肺癌的相对危险度是不吸烟者的10～15倍。而一个吸烟者戒烟10年后，他患肺癌的危险性将比继续吸烟者降低30%至50%。

戒烟还会降低吸烟者患喉癌、口腔癌、食管癌、胰腺癌、膀胱癌和其他多种癌症发病的危险度。

吸烟者死于冠心病的危险度是从不吸烟者的2倍。而吸烟者戒烟后1年之内，这种危险就会降低50%。坚持戒烟15年之后，这种危险度就会接近于从不吸烟者的水平。

与从不吸烟者相比，吸烟者死于脑卒中的相对危险度要高1倍。有些吸烟者在戒烟后5年内就可把这种危险性降低到从不吸烟者的水平，而有些人却需要坚持15年才能收到这个效果。

吸烟是引起肺部疾病的主要原因。一个人戒烟后，可以降低患感冒、肺炎和支气管炎的危险性，随着年龄增长而发生的肺功能下降的速度，也将接近于从不吸烟者的情况。

戒烟后你不会因吸烟引起家庭矛盾，戒烟之后10年可以节约一大笔钱。你不会因在公共场所吸烟而被罚款。

孕妇吸烟使胎儿和婴儿死亡率比正常不吸烟者高25%～50%，婴儿出生体重平均低于正常值200克。若在怀孕前4个月开始戒烟，这些不良影响通常都可以改变。

戒烟后将更能集中精力学习和工作，使你面容显得滋润和富有光泽。使你的嗅觉、味觉更灵敏，吃东西将更有味道。

戒烟后再也不会走到哪儿都带去一股烟味。也不会再让家人、朋友、同事吃"二手烟"，与吸烟者相比，你将显得更高雅、更潇洒、更有风度。

05 饮酒到底有多大危害

酒的热能含量较高，饮酒过多，热能摄取多，其他营养都被"挤掉"了，因而很容易发生蛋白质、矿物质和维生素的缺少，例如缺电解质钾、镁可影响心脏、神经的功能，酒精中毒的神经症状更为严重。

由于喝酒时使肾的排泄量增加，大量维生素和矿物质就会从肾排除，从而使上述的营养更为缺少。酒会影响食欲，又有刺激性，能刺激胃肠道黏膜，使黏膜充血，发生急性胃炎。

由于酒精的长期刺激，会使舌血管发生癌变，也容易形成慢性胃炎和肠炎。饮大量的烈性酒会导致急性胰腺炎，长期饮酒，则会形成慢性胰腺炎，使胰腺不能分泌消化酶，而形成慢性腹泻，以致营养素吸收不良。

酒能影响中枢神经和自主神经系统，饮酒者非常容易发生神经官能症，如头痛、出虚汗、健忘、眩晕，甚至发生类似精神分裂的症状。酒精吸收进入肝脏以后，能直接作用于肝实质细胞，出现类似脂肪肝的症状。如长期过多饮酒，就会演变为脂肪肝，再严重则会变成肝硬化。

06 适量饮酒为何因人而异

一直以来，大家认为适度饮酒有利于健康。美国做了一项研究，少而适量饮酒的老年人，患心血管疾病的概率较低。他们收集了2500名年龄覆盖70～79岁的人员的信息，这些老年人没有一个患有任何一种类型的心脏病，其中半数人向来滴酒不沾，而另一部分人则是适度饮酒者。

研究人员对这些人群进行了为期5年半的追踪调查，期间有307人死亡，383人患过心脏病。他们发现每周饮酒7次者，比完全禁酒者的死亡概率低27.4%，并且患心脏病的概率也低29%。但是，这种普遍性肯定适量饮酒的说法，再后来遭到质疑。

美国加利福尼亚大学的科学家公布的一项研究结果表明，在某些情况下，一周喝上两杯酒会增加一些老人的死亡危险。"那些饮酒量为中度或重度的老人，如果还伴有一些其他病症，如痛风或溃疡类疾病，或同时服用一些能与酒精产生不利的相互作用的药物，其所面临的死亡危险与那些喝酒很少，或喝酒但没有上述疾病的老人比较，要高出20%"。

中医对酒作用的描述是：活血通脉，消愁遣兴，少饮壮神，多饮伤命。通常适量饮酒后，能使心跳加快，血流加快，所以在寒冷的时候，可以起到稳肠胃、防风寒、活血通络的作用。

我想，关于适量饮酒可以降低心血管疾病的发生，以及降低由心血管疾病引起的死亡率的研究，并没有考虑酒精与其他一些病症或药物之间可能产生的不良反应。

适量饮酒对那些没有其他病症的老人来讲，或许是一种健康的选择。但是，对于那些需要服用一些常用药物，如安眠药、关节镇痛药或有抑郁症和肠胃疾病的人来讲，同时饮酒会产生一些不安全的后果。

因此，适量饮酒所能产生的健康效益，因人而异，不能一概而论。但是，可以肯定的是，饮酒过度甚至暴饮，对身体有许多危害。

健康生活小贴士

科学戒烟并不难

烟草依赖是一种慢性病，而且是高复发慢性病，已经被世卫组织列入国际疾病分类(属精神神经疾病)。吸烟的人往往认为吸烟可以"解困"，其实，烟雾中并没有消除疲劳的物质。

只是因为吸入少量尼古丁使中枢神经系统兴奋，会给人"解困"的感觉，而随着尼古丁排出体外，中枢神经系统兴奋性降低，不得不再次吸烟补充尼古丁来保持自身强迫性兴奋。

控烟专家有一些有效的戒烟方法，深受烟草困扰的人，可以照着积极行动起来：循序渐进。此方法主要适用于每天吸烟超过20支的吸烟者。

在吸烟量降低到每天15～20支后，可采用一次性戒烟方法，因为他们不可能保持长时间少量吸烟。

延长吸烟间隔时间。逐渐增加2支烟之间时间间隔，直至几个小时内或整晚不吸烟。

不时地戒烟。尝试在早晨尽可能保持长时间不吸烟。出门12小时内不要随身带烟。尝试在喝完咖啡或茶水后15分钟不吸烟。

一次只买一包烟。避免储备香烟和购买整条香烟。改变生活习惯。如果你习惯醒来后吸烟，那么醒来后就去淋浴或去准备你的早餐。如果你习惯饭后吸烟，吃完饭后马上离开餐桌。如果你习惯坐在椅子上吸烟，一段时间内避免坐这张椅子。

限定吸烟的地点和场合。确定几个可吸烟的地方，避免在其他地方吸烟(如汽车里、公寓里、有孩子的场合)。

做一份吸烟日记。用几天时间尝试做一份吸烟日记。在点燃每一支香烟前，记下日期、时间、情形、情绪、想抽烟的程度，以及在当时情况下抵制吸烟欲望的方法。每天晚上，重新读一遍你的日记并认真思考。

⁝ 女性耐受酒精仅为男人一半

一个人对酒精的容忍程度跟酒量无关，这是一个医学上的问题，人体容忍酒精的能力基于多个因数：性别，体形大小，滴酒不沾或酒桌常客，有否服用药物，饮酒时吃的食物，饮酒者是否怀孕，是否在哺育婴儿，饮酒者是否患上伴随着与酒精有关的疾病，等等。

有几个医疗原因，如酗酒、肝或胃有病、不可控制的突发病，是绝对不宜饮酒的，这是因为酒精会影响医疗的成效，而不是酒精会加深病情。

当然，驾驶机动车的司机或正要施行手术的外科医生，在执行任务前理应保持头脑的清醒。此外，酒精在社交上及心理上的因素，因人而异，因时因地而差别甚大，饮酒的安全线，因此只能根据人体对酒精的容忍度来拟订。

由于酒精会损害人体的肝，多少酒精会对肝造成损害，就决定了安全线的上限。

男性每日平均饮用60克酒精，其肝就会长期被损害。因此，对肝有研究的科学家认为健康的男性每日饮用不超过40克酒精是安全的。

暴饮，即平日少饮，一饮就过量，绝不安全，最好是保持一个限度。到了周末或假期庆典，人往往多喝，超过安全线。虽然平均算起来仍未过安全上限，也绝对不宜。肝脏的解毒酶不能应付暴饮，只可应付惯常适量的酒。

一瓶葡萄酒容量一般在750毫升左右，其中72毫升是酒精，故此，420毫升的酒（不是酒精）是每日的安全限量，这是对健康的成年男性而言。

饮酒时吃的食物对酒精的吸收有重大影响。如果饭吃得时间长，轻松悠长，我们倾向多饮几杯，这也得留神。要记住，人体可以平均每小时新陈代谢的酒精是有限的。这是有实验结果作根据的。饱肚时，血中的酒精浓度较低，酒的新陈代谢率较快。饮过酒后5小时内进食，食物仍能发挥中和酒精的作用。

女性体质对酒精的容忍度是男性的一半。多年的研究证明，女性肝脏容忍酒精的安全限度是男性的60%，不管其体型大小、肥胖程度及激素分泌的水平如何。

这是有根据的，女性胃壁上化解酒精的脱氢酶，只及男性的60%，肝脏当然也有脱氢酶，不过第一道防线是胃。过量饮酒削弱胃壁的脱氢酶保护层，所以，女性容忍酒精的程度较低，受损害的速度较快。

第三基石 合理膳食

希望大家高脂肪的食物要减少，特别要多吃蔬菜。我最不喜欢吃蔬菜，但是蔬菜里的纤维素很高，很重要的作用就是帮我们清洗大肠。若我们吃东西太快了，食物在胃肠停留的时间太长，发酵之后易诱发肠癌。

快餐偶然吃一次可以，天天都吃绝对没有好处。烧烤的东西，偶尔吃吃可以，但是一天到晚吃烧烤对胃绝对没有好处。

还有腌制的东西，吃太多也不好，里面含有大量的亚硝酸盐。记住不要吃太胖，不要吃撑到，一个人一旦吃撑了，有三四天你的消化系统恢复不了，吃到刚好差不多，你还想吃，这就很好了。

01 我不太赞成早餐少吃

我不太赞成早餐少吃的说法，这要因人而异。

我吃的早餐包括1杯牛奶、几片面包、1碗白粥、1盘蔬菜，1个鲜橙，或者是一杯鲜榨的橙汁，还有奶酪、吐司、两个鸡蛋清和1个蛋黄。我上午一般工作繁重，精力也好于下午，吃的多些，要靠这些食物作为动能。

鸡蛋黄中含有较多的胆固醇，但是也含有人体必需的多种氨基酸，容易消化吸收，蛋黄中含有丰富的卵磷脂、固醇类、蛋黄素以及钙、磷等。这些成分对增进神经系统的功能大有裨益，因此，鸡蛋是较好的健脑食品。对老年人来说，鸡蛋一般不易消化，但吃煮熟的鸡蛋，是煮到蛋黄刚刚成为固体，比较好消化，易吸收。

我的晚餐一般来说是比中午更清淡，哪怕是参加晚宴，也选择一些清淡的东西吃。薯类、玉米等杂粮也选择吃，在以前特别不注意吃这些东西。

以前是选择厚味的，但是像红烧肉这些厚味的一般都是含胆固醇高的。现在并不是凭味道来选择，而是凭需要来选择。我认为一个人能够比较早意识到这方面是很好的。因为肉食在任何时候对很多人都是有吸引力的，但是具体到个人，常常不需要那么多。

中国人喜欢满足口感，广东人更是这样。对食物的选择根据营养需要，考虑膳食平衡搭配，我年轻的时候根本不会考虑这些，一直到中年，一直到50多岁还没有考虑到这点，特别是血脂比较高也没管它，心脏有了问题，才比较重视了。所以早重视的话就会好，人在年轻时就应该有这个意识，越早越好。

02 适量补充维生素和微量元素

我平时基本不用滋补品，用多种维生素。当然现在很难说有什么明确的感觉，只是从理论上觉得应该加，应该补充。因为我们的饮食里头有时候不一定够。

应适量补充维生素和微量元素。不久前，维生素再次成为热门话题。美国2007年出版的国际权威医学刊物《美国医学会》杂志，发表了一项由多国研究人员共同完成的研究成果。这项研究显示，服用维生素E死亡率增加4%，服用胡萝卜素死亡率增加7%，服用维生素A死亡率增加16%。没有证据表明维生素能延年益寿。

接着，国内媒体对这项研究进行了报道，掀起了轩然大波。一时间，各种观点针锋相对，褒贬不一，老百姓更是无所适从。我个人认为，美国研究表明了维生素过剩会导致副作用，但是根据目前中国人的膳食结构以及地区、城乡差异，还是应该适当补充维生素。我一直都在吃多种维生素，这个习惯已经保持很多年了。我认为这样才能保证足够的维生素摄入。

03 成人也要三分饥

"要想小儿安，三分饥和寒"，这是对小孩的育儿经。其实对于成人来说，三分饥同样很重要。我非常赞同"若要身体安，三分饥和寒"，不要吃得太饱，七八分饱最健康，这非常关键。一个人每顿饭都有饥饿感，很想吃，说明消化系统很健康，这是好事。

但如果某顿饭吃得太饱，然后好几顿都不想吃，这是最伤消化系统的。我们知道，长寿老人各有各的饮食习惯，有一些从科学的角度看还是不利于身体健康的，例如吃肥肉、抽烟、喝酒等等。但所有的老寿星都非常坚持的一条是，不要吃太饱，吃到七八分饱就够了，就不要再吃了。

如果大家爱惜自己的身体，这一条非常重要。特别是对自己喜欢吃的东西，比如北方人回家，几个朋友除了喝酒，比赛谁吃的饺子多，我吃个，你吃个，那就不得了，胃肠几天都恢复不过来啊。

临床上曾经有一个著名的小鼠实验。小鼠分为两组，一组给予低能量，一组给予高能量，所谓高能量就是给老鼠喂得很饱，低能最就是喂不饱，常呈半饥饿状态。实验结果表明，高能量的一组比低能量的一组小鼠的寿命短30%，也就是说，每顿都吃得很饱的老鼠比不完全吃饱的老鼠短命30%。而且，肿瘤的患病率也是低能量的一组较低。这是因为过多的食物提供的氧化物、饱和脂肪酸等都大大超过了身体的需要，对身体的伤害极大。临床医学研究表明，这与人类的情况十分相似。

04 吃无禁忌，均衡即可

有些女性担心吃夜宵会发胖，其实关键是吃法要科学，最好在睡前2小时吃，并避免油脂高的食物，如方便面、油条、起酥等就不合适。油腻食物会让消化变慢，延缓胃排空时间，导致夜里睡不好，还容易发胖。夜宵比较好的选择是一杯低脂牛奶加两三片苏打饼、清淡的汤面或咸粥、燕麦片等。

现代社会节奏快，很多快餐食品应运而生，即含有过多饱和脂肪酸的食品（俗称：垃圾食品）。从哲学角度说，任何事物都是辩证的，摄入每种食物都有一定的好处，而营养再丰富、再完美的食物，摄入过量也会带来或多或少的危害。

因此，即使是垃圾食品也并非绝对不可以吃，关键是要懂得平衡的营养与热量，懂得合理调配饮食，减轻或避免垃圾食品对身体的危害。例如，孕妇补充钙时只吃含钙食品，则补钙效果并不佳，如果同时吃些富含维生素D的食品，则有利于钙的吸收，其补钙作用可成倍增强。用土豆炖牛肉既可以减少牛肉的油腻，又可以获得土豆和牛肉中的营养，同时获得多种营养成分。

饮食的适量均衡和多样化是相辅相成的。例如，适度地摄取脂肪是健康饮食最根本的要求，因为适当的脂肪(大约15%饮食所含的总能)对健康有好处，但过多却会导致肥胖、心脏病。以此为基础，偶尔摄取高脂肪食物可使饮食多样化，却不至于牺牲健康饮食的品质。所以我几乎什么都吃，平常除了多吃蔬菜、水果、鱼、牛奶外，也吃少量的动物肉，包括少的动物脂肪。

05 健康饮食金字塔

民以食为天。解决温饱之后，人们对于各种美味中所隐藏的神奇奥妙愈加关注。为了从日常饮食中获取更多的营养，或是改变自身的健康难题，人们开始对食物越来越挑剔、越来越苛求，因为一分一厘的取舍对于我们来说都至关重要，直接影响着人类的健康。

20年前，美国农业部开始根据《美国人饮食指南》建立了日常食物金字塔。2007年初，又推出了新版食物金字塔，纠正了过去的一些疏漏。据悉，金字塔的建造者，包括科学家、营养师、职员以及顾问。哈佛大学公共健康学院的专家们依靠所获得的最科学的证据，根据食物与健康之间的关系，建立了新的健康饮食金字塔。它修补了美国农业部食物金字塔的基础漏洞，在关于吃什么的问题上，提出了更好的建议。

健康饮食金字塔是建立在每日运动和控制体重的基础之上的，因为这2个因素对人们保持健康来说，十分重要。

它们也会影响到人们吃什么和如何吃的问题，以及人们吃的食物又如何影响自身的健康。从健康饮食金字塔的底座往上看，其中包括：

全麦食品(在大部分进餐中)。人体需要碳水化合物提供能量，碳水化合物的最佳来源是全麦，比如燕麦片、粗面面包以及玄米(也就是糙米)。它们含有麸糠和胚芽，以及富含能量的淀粉。人体消化全麦的时间要比消化白面包这样直接的碳水化合物长，这会使人体的血糖和胰岛素保持在一个合理的水平，并很快会下降。很好地控制血糖和胰岛素水平，能够减少人体的饥饿感，阻止Ⅱ型糖尿病的发生。

植物油。美国人平均每天从脂肪中获取1／3的日需能量，所以，把它们放在金字塔的下部是有道理的。

注意，这里特别指明的是植物油，并非全部各类脂肪。健康的不饱和脂肪来自橄榄、黄豆、玉米、向日葵、花生和其他植物油，以及富含脂肪的鱼类，比如三文鱼等。这些健康的脂肪不仅能改善人体胆固醇水平，而且还能有效防止潜在的心脏猝死和心肌梗死等。

蔬菜(大量的)和水果(每日2~3次)。多吃蔬菜和水果可以有效防止心脏病和心绞痛的发生；预防各种癌症；降血压；减轻被称作憩室炎的肠道疾病；防治白内障和青光眼，对65岁以上的老人来说，这2种眼疾是造成老年失明的主要病因。

鱼、禽、蛋(每日0~2次)。这是蛋白质的主要来源。大量的研究表明，吃鱼可以减少心脏病的危险。鸡肉的饱和脂肪含量低，也是很好的蛋白质来源。鸡蛋是长期被"妖魔化"的食物，因为它的胆固醇含量相对较高，实际上，鸡蛋是很好的早餐，它比油炸甜面包圈或者精面面包圈要好得多。

坚果和带壳豆(每日1~3次)。坚果和带壳豆是植物蛋白、植物纤维、维生素和矿物质的最佳来源。带壳豆包括黑豆、蚕豆、毛豆等干货。很多坚果含有丰富的健康脂肪，比如，杏仁、核桃、花生、榛子、松子等可以直接标明该食物有益于心脏。

代用钙(每日1~2次)。为防治骨质疏松，需要摄入钙、维生素D等，奶制品是美国人获得钙的主要来源。3杯全脂牛奶相当于13小条熟熏肉所含的饱和脂肪。除了牛奶和奶酪这类含有饱和脂肪的食品外，还有其他的健康方式获取钙。如果你喜欢奶制品，可坚持选择脱脂或者低脂产品。如果你不喜欢奶制品，代用钙食品是保证每日人体钙需求量的健康食品。

红肉和奶油(小心使用)。这些食物被放在健康饮食金字塔的上层，因为它们含有丰富的饱和脂肪。如果你每天都吃红肉，如牛羊肉等，每周尝试几次鱼或者鸡肉可以改善你的胆固醇水平。

油、糖、盐及加工食品则放在饮食金字塔的顶层，尽量少吃。全麦碳水化合物则使人体血糖稳定，至少是缓慢增长而不会超过人体正常水平，使人体有能力处理多余的血糖。

多种维生素。日常多种维生素，多种矿物质是人体的营养后备。我们每天吃的食物有时不能提供人体日常所需的所有营养素，这时多种维生素可以为那些哪怕是最谨慎小心的人们填补营养缺口。请选择正牌的多种维生素。

酒精类(适量)。每天喝少许酒，可以降低心脏病的危险。适量是很重要的，酒精是双刃剑，危害与益处同在。对于男性来说，平衡点是每天喝1～2小杯，这可不是指扎啤杯。对女性来说，每天1杯足够了。

健康饮食金字塔总结了当今最好的饮食情报，它不是空中楼阁，或者一成不变。随着时代的发展，研究的深入与多样化，健康饮食金字塔会与时俱进地反映最新、最重要的研究成果。

健康生活小贴士

⋮ 10种最佳饮食搭配法

饮食要讲究搭配，正确的搭配可以让我们获得更多营养。错误搭配不仅会让食品失去营养，甚至会让身体受到危害。

鱼+豆腐

作用：味鲜，补钙，可预防多种骨病，如儿童佝偻病、骨质疏松症等。

原理：豆腐含大量钙质，若单吃，其吸收率较低，但与富含维生素D的鱼肉一起吃，对钙的吸收与利用能起更佳效应。

猪肝+菠菜

作用：防治贫血。

原理：猪肝富含叶酸、维生素B_{12}以及铁等造血原料，菠菜也含有较多的叶酸和铁，同食2种食物，一荤一素，相辅相成。

羊肉+生姜

作用：冬令补虚佳品，可辅助治腰背冷痛、四肢风湿疼痛等。

原理：羊肉可补气血和温肾阳，生姜有止痛祛风湿等作用。同食，生姜既能去腥膻等味，又能有助羊肉温阳祛寒。

鸡肉+栗子

作用：补血养身，适于贫血之人。

原理：鸡肉为造血疗虚之品，栗子重在健脾。栗子烧鸡不仅味道鲜美，造血功能更强，尤以老母鸡烧栗子效果更佳。

鸭肉+山药

作用：补阴养肺，适于体质虚弱者。

原理：鸭肉补阴，并可消热止咳。山药的补阴作用更强，与鸭肉伴食，可消除油腻，同时可以很好地补肺。

瘦肉+大蒜

作用：促进血液循环，消除身体疲劳、增强体质。

原理：瘦肉中含有维生素B_1，与大蒜的蒜素结合，不仅可以使维生素B_1的析出量提高，延长维生素B_1在人体内的停留时间，还能促进血液循环以及尽快消除身体疲劳、增强体质。

鸡蛋+百合

作用：滋阴润燥，清心安神。

原理：百合能清痰火，补虚损，而蛋黄能除烦热，补阴血，同食可以更好地清心补阴。

芝麻+海带

作用：美容，防衰老。

原理：芝麻能改善血液循环，促进新陈代谢，降低胆固醇。海带则含有丰富的碘和钙，能净化血液，促进甲状腺素的合成。同食则美容、抗衰老效果更佳。

豆腐+白萝卜

作用：有利消化。

原理：豆腐富含植物蛋白，脾胃弱的人多食会引起消化不良。白萝卜有很强的助消化能力，同煮可使豆腐营养被大量吸收。

红葡萄酒+花生

作用：有益心脏。

原理：红葡萄酒中含有阿司匹林的成分，花生米中含有益的化合物白梨醇，二者同吃能预防血栓形成，保证心血管通畅。

⋮ 几种健康的饮食习惯

饮食习惯的好坏，直接影响着脾胃功能的消化及营养的吸收，现向您介绍几种利于健康的饮食习惯。

站着吃饭。根据医学上对世界各地不同民族用餐姿势研究表明，站立位最科学，坐姿次之，而下蹲位是最不科学的。这是因为，下蹲时腿部和腹部受压，血流受阻，因而影响胃的血液供给。人们吃饭时，大都采用坐姿，主要是因为坐姿最感轻松。

饭前喝汤。饭前先饮少量汤，好似运动前做预备活动一样，可使整个消化器官活动起来，使消化腺分泌足量消化液，为进食作好准备。

偏爱冷食。科学家认为，降低体温是人类通向长寿之路。吃冷食和游泳、洗冷水浴一样，可使身体热量平衡，在一定程度上能够起到降低体温的作用，延长细胞寿命。

好吃苦食。苦味食物不仅含有无机化合物、生物碱等，而且还含有一定的糖、氨基酸等。苦味食物中的氨基酸，是人体生长发育、健康长寿的必需物质。苦味食物还能调节神经系统功能，缓解由疲劳和烦闷带来的恶劣情绪。

冬天吃凉菜。冬季期间若多吃一些凉拌菜，可促进新陈代谢，迫使身体自我取暖，这会消耗一些脂肪，从而达到减肥目的。

晨起喝水。早晨起床后喝1杯温水，有利于肝、肾代谢和降低血压，防止心肌梗死，有的人称之为"复活水"。学者认为，人经过几个小时睡眠后，消化道已排空，晨起饮一杯温水，能很快被吸收进入血液循环，稀释血液，从而对体内各器官进行一次"内洗涤"。

中度以下高血压，膳食营养可缓解。血压患者重度的很少，中度以下占了85%。对轻中度高血压这个庞大的人群，完全可以通过膳食营养、运动、休息等生活方式的改善，使疾病得到一定程度的缓解，并可有效地减少冠心病、中风等的发生率。

高血压患者平时应以清淡素食为主。宜常食植物性蛋白质含量高的食物，如各种豆类和豆制品、菠菜、茄子、面筋、荠菜、芝麻、黑木耳、紫菜等；应常吃有降血压和降血脂作用的食物，如芹菜、白菜、白萝卜、胡萝卜、海蜇、海带、洋葱、大蒜、山楂、荸荠、香蕉等；小荤类食物也可以稍吃一些，如肉丝、肉片、排骨、牛肉、青鱼、鳜鱼、黑鱼等，以保持一定的营养；平时宜用植物油烧菜。

第四基石 适当运动

健康不是天生的，健康需要投资，需要营造。运动有益健康，年轻时参加运动，锻炼身体，这是投资健康。无论医学的研究还是人类生活的经验，都早已证明了这一点，尤其是在现代社会，运动更是生活中必不可少的元素。

我们向两种人学习，一是年轻时学运动员，一是老年时学爱活动的老人。运动员需要每天运动来保持体能和状态，爱活动的老年人则通过每天活动给生命增加活力。

不要寻找借口，把身体锻炼看作与吃饭、喝水、工作一样，是在生活中不可或缺的重要组成部分，那你的精神境界就达到新的高度。如果达到这个境界，每天的锻炼时间一定能挤出来。

我的时间不会比大家多，因为我每天查房、看门诊、会诊、做研究、改研究生论文、讲课等，但是我总会挤出时间来活动活动、跑跑步、做做引体向上。只要做好这些，就可以使你的高血压、脑梗塞、糖尿病等疾病的发生率减少一半以上。

01 运动项目需要随年龄变化

我能到这个年龄，而且能够保持很好的状态，跟运动有关系。"流水不腐、户枢不蠹"。不同年龄，参加不同的运动项目。体质上升期要参加运动，羽毛球、乒乓球、马拉松、游泳等活动我都非常赞成。中年以后体质下降，就不要参加竞技运动了。到老年就要进行功能锻炼，保持功能正常。

青壮年时肌肉是最发达的，然后慢慢老了，肌肉减少、脂肪多了，这是一个过程，跟激素有关。合理运动对心血管和心脏有好处，在运动时也是在帮助血管收缩和舒张，使血管里的血脂被冲掉，另外保持血管的弹性。当然也有分歧的看法，动物的寿命跟心率有关系，小白鼠的心跳是一分钟300到500次，活一两年。乌龟一分钟心跳才6～10次，活100年。人类的心跳，特别是早晨起来摸摸心跳，一般是60～100次，我是50多次。人的一生心跳有总的次数，大概你的心跳是25亿到30亿次，心跳太快可能加速消耗，寿命就会缩短。当然这是有不同的看法，但是总体来说有一定的道理。

规律的运动能够使心跳减慢，比如说马拉松运动员一分钟心跳40多次，这是特殊运动员，我们也不一定要求要这样。但是心跳慢有助于长寿，经常参加运动你的心跳就会慢下来，每次心跳都会有力量，心动过速也是不好的。

02 预防疾病首先运动

合理运动对糖尿病防治也有帮助，这里有很多带有学术性的内容我不多说了。一些老同志有糖尿病，我就非常主张他锻炼。如一位前省领导，以前糖尿病比较厉害，现在他经常打网球，身体非常好。运动是一种治疗方法，而不是一般意义上的运动，可以使胰岛素的敏感性增加，调节血脂代谢。

运动也能预防骨质疏松。可能是由于小时候营养不见得很好，另外有可能偏食，所以50岁以上女性人群50%患有骨性关节炎、骨质疏松。骨质疏松到五六十岁之后就很明显，腰疼、颈疼。我认识一位记者脊椎病很厉害，写稿子要躺在床上这么写，这是骨质疏松造成的。快到更年期，激素水平一下降，骨质疏松就明显了。这跟什么有关系呢？跟运动有关系，神经系统调节下的肌肉质量是决定骨强度的重要因素。经常进行肌肉运动，对骨头的坚固度以及钙质有很大影响。由于肌肉产生的作用力，使得其对骨头的控制作用远远大于非机械性因素，可以促进激素的分泌，减少骨量的丢失，增加灵敏度，这样就不容易摔倒，减少骨折的机会。家里爸爸妈妈年纪大了，一摔可能就骨折了，一骨折可能使整个生活质量就发生改变。骨质疏松和运动的关系非常密切。

运动可以预防肿瘤，现在证实比较多的是预防大肠癌，还有女性的乳腺癌、肺癌等，都可以通过运动进行预防。另外运动也能健脑防衰老，现在我的记忆力还没感觉那么差，运动对大脑的帮助是很大的，希望大家能够保持运动。但是有读者认为最好是不动，不动是活得最长，比如说乌龟，这种想法是不对的。有老先生连在床上走到地上都要人抬，一个人活到这个程度还有什么意思，我是不赞成。

03 运动适度才健康

对于从事脑力劳动的人群（白领阶层），适当的运动练习很重要。长年因坐办公室导致脑力疲劳的人群，可以通过肌肉活动来消除。最好工作一段时间，出去进行一段室外运动，或工作间歇做一些室内的徒手体操，这就是积极性休息。

近年来，不断发生一些正值人生壮年、事业上升阶段的社会精英猝死或早逝的不幸事件，为此我要提醒那些工作已经相当繁重的白领，在锻炼前需要考虑一下强度问题，不要在非常劳累的情况下还是按照平时的强度进行锻炼，以免健身不成反而危害健康，甚至造成无法挽回的后果。

心血管专家认为，过度劳累的人心脏承受力比普通人要弱，但是在心脏病发作之前一般有异常反应的不多，所以在运动前应该先综合考虑身体的状况，随时改变自己的运动计划，以免过度的运动给心脏带来负担甚至伤害。

另外，从心理角度讲，精神压力大对身体也有不良的影响。据了解，目前有很多的常见疾病其实是和紧张、焦虑等心理不良情绪直接相关的，因为工作等问题造成的心理紧张状态可能要持续好几个月，人体的心率加快、心跳次数增加，血压也随之上升，这种紧张状态开始时身体出现功能性代偿，但是时间如果过长，就会心肌增厚，肌纤维的数量增加，粗细也开始变化，身体出现结构性代偿，长此以往，心脏容易出现问题。

锻炼时如果觉得有些发热，微微出汗，锻炼后感到轻松舒适才是效果较好的锻炼。如果感觉非常疲劳，休息后仍然身体不适、头痛、头昏、胸闷、心悸、食量减少，就说明运动量可能过大，需要减少运动量。

如果时间充裕，我愿意每天锻炼，但现在做不到，只能选择性做适度的运动。20分钟跑步是其中一项，完了以后再做仰卧起坐，前后大概一般用的时间是45分钟；此外还有拉力，引体向上，运动时间是下午的时候是最合适的，我一般运动是下午下班后回到家，吃晚饭以前的这段时间。

运动要视自身的身体状况。比如像出门诊，有时患者特别多，非常累的时候肯定就不做了。我的运动做不做常常取决于那天晚上有没有紧急任务，没有的话一般都做。一般大概一周有4次，有时间的时候也偶尔游泳。在没有场地的时候也会锻炼，比如说在开会之后回到客房，席地俯卧撑，还有高抬腿，在床上做仰卧起坐。

锻炼之后，会调节精神，自己感觉好像一下就年轻了很多，特别有朝气，精力旺盛地投入工作。但是我有一个体会，9点以后再锻炼会影响晚上的睡眠。

惰于锻炼，这恰恰是大多数人的陋习。为什么不说每天坚持吃饭，而要说每天坚持锻炼呢？这就是认识与觉悟的问题。总是认为锻炼是比吃饭次要的，是可有可无。因为一天不锻炼人照样可以活，但是一天不吃饭，人就会难以支撑。但是，我要说的是，运动和吃饭一样重要。

当你认为一样重要的时候，你才会必须去做。试想，你不可能不睡觉，你不可能不刷牙就吃饭，就是这个道理。吃饭是营养，运动同样也是身体不能缺少的营养，而且让身体吸收得更好，更健康。这诸多的好处，无偿属于你，你却总有各种借口不要。

我得感谢我老伴，她在我们不大的家中腾出一间房作为运动房，每天我都可以在跑步机、双杠上活动二三十分钟，我觉得运动就像吃饭、睡觉一样必要。我现在还没感觉到记忆力减退，这得益于我从小养成的运动习惯。

04 运动比饮食更补钙

上班开车、在写字楼一坐就一天、没时间晒太阳……骨密度检测不合格者年龄日渐降低，20多岁出现骨质疏松的体检者并不少见。

这些检测结果不理想的人，第一句感叹都带着疑问：我并不缺营养啊？！他们不知道，保持骨密度水平或者补钙，光靠进食补充是不行的。富含钙的食物以及专门的补钙营养品，必须得通过人体肌肉以及骨骼的运动，加上阳光的作用，才能转化为真正的人体骨钙，达到被人体吸收的结果。

保护骨密度，最重要的办法是运动，其次才是靠饮食和补充专门的钙营养素。在校的学生，特别是青春期的中学生，应多给自己一些运动时间。

青春期是人一生骨钙生长最旺盛的阶段，一生的骨钙营养需要靠这时做大量的储备，比较大的运动量对增加骨钙是最好的帮助。35岁以前是身体机能最好的时候，都是骨钙可以增加的阶段。35岁到45岁，是人体骨钙的相对平衡期，但是如果放弃运动（比如长走、慢跑、打球、跳舞等），骨钙就会开始迅速丢失。

补钙，几乎是人人关心的问题，老年人更是格外重视。我的建议其实就是老百姓常说的：要想硬硬朗朗的，您就得多运动。

天不冷不热的时候，太阳好的时候，到空气好的地方，尤其是公园里，多走上几圈；平时家里房间多通通空气，就算再不爱运动，伸伸胳膊，动动腿，多做一点家务，也比总是坐着不爱活动要强。

05 竞技运动培养孩子的竞争能力

从1985年开始，我国进行了4次全国青少年体质健康调查。调查显示，最近20年，我国青少年的体质在不断滑坡。全国3亿青少年中，肥胖或营养不良的占到15%以上，也就是说超过了4500万人。

在初中阶段，学生近视率超过50%，高中阶段为76%，而大学阶段则为83%，变化趋势真是触目惊心。令人担忧的是，在肺活量、速度、力量等体能素质持续下滑的同时，我国青少年的身高、体重、胸围等形态发育指标却持续增长。可以说，"高身材、低体质"已经让我国青少年显得"外强中干"。而高身材的表面现象，更容易掩盖体质差的现实。

之所以出现这种情况，归根结底是因为生活环境急剧变化的同时，生活方式没有相应调整，产生了"时间差"。与从前不同，现代化的生活方式中，上楼乘电梯，出门坐汽车，家务劳动电器化。学生用大量的业余时间上网。与此同时，目前的应试教育更多偏重智力教育，导致学生学习时间过长，从体育锻炼中挤时间就成了必然。

青春期是青少年发育成长的敏感期，这一时期的体质如何将决定人一生的身体状况。这个时期如果被耽误了，将永远都补不回来。

现在，青少年不能仅仅追求没病，因为年轻人有些小毛病都能挺过来。但没病不等于很健康。年轻时即使体质再差也未必会生病，但危害却会在中年时逐渐显现。

所以，家长、社会都应有长远观点。可以说，改善青少年体质健康状况，是一项意义在于未来的事业，前提是减轻他们的课业负担。对于广大青少年自己而言，积极参加体育活动尤其是竞技体育，是从根本上改善体质的捷径。

竞技体育的好处很多，它不仅能锻炼肌肉能力、心肺功能等，更重要的是，青少年通过参加竞技运动，能收获心理上的升华。因为它能培养人的三种精神，一个是竞争的精神，一定要力争上游；第二是团队精神；第三是如何在一个单位时间里高效率地完成任务。把体育的这种竞技精神拿到工作、学习上来是极为可贵的。

要培养孩子的体育精神，让孩子热爱体育。这样，对孩子的一生将是一笔宝贵的财富。

健康生活小贴士

推荐快速步行和游泳两项运动

什么活动最好呢？快速步行，游泳，这对所有人都很好。一个人有50%的骨头和50%的肌肉是长在两条腿上，所以一个人一生中70%的活动和能量消耗是由它完成。人体最大、最结实的关节和骨头也在腿上。双腿还是身体的交通枢纽，两条腿有人体50%的神经、50%的血管，连接着身体的大循环组织。只有双腿健康，才能有一颗强有力的心脏。老人每次走的距离越长、速度越快，走的越轻松，他的寿命就越长。有人就说，从20岁开始，如果不积极活动，有5%的肌肉组织将丧失。

世界卫生组织在1992年对1645例65岁以上老人作了4.2年前瞻性研究，每周步行4小时相比每周步行小于1小时的，心血管发病率减少69%，病死率减少73%。游泳可以改善心肺功能，抵御寒冷，更重要的是很多人都有脊椎病、脊柱病，我身边有几个医生整天做手术，他们最希望就是游泳，一游蛙泳就改善了很多，所以这个运动对身体非常好，对纠正职业病非常重要。

我一位朋友今年104岁了，每天都去游泳，现在是广东冬泳会的永远名誉会长，每天游200米。他说，游泳属于水平式运动，水的浮力减轻心脏负荷，同时可使血流全身畅通，充盈全身各个细胞，而深呼吸是游泳的基本动作，可令胸腔扩大，增加氧气，增强肺部功能。他的长寿经就是"三从四得"：心态从宽、生活从简、运动从水；四得是食得、睡得、屙得、行得。

适度运动的三要点

适度运动的原则是：有氧运动，安全适度，方法简便，持之以恒。有几个基本要点。

一是选择合适的运动时间。早上锻炼并不好。晨间空气质量不好。《黄帝内经》里记载，没有太阳不要锻炼。从现代科学的角度看，很有道理。早上有了阳光后，污浊的空气下沉了，污染物质减少了。

科学测定证明，下午3点以后空气质量最好，对上班族晚练也比较适宜。另外，早晨6~9点，是一天中血压最高的时间，运动更易引发血压增高，容易引发心脑血管疾病。因此，锻炼最好在下午3、4点钟。

二是选择合适的运动项目。一般做有氧代谢运动，即做操、打拳、慢跑等等。对中老年人而言最好就是快走。常速步行30分钟可燃烧553千焦热量，快步走可燃烧779千焦热量，既可锻炼心肺功能，又能减去过多脂肪，人们称之为"健步走"。

三是掌握有效运动量。走路抬头挺胸微收腹，不要前弓后仰，不要像逛商店一样慢悠悠地走，那样根本达不到锻炼效果。运动一定要达到有效的运动量方能有效果。现在推荐的"三、五、七"概念就十分明确。"三"就是每次运动坚持在30分钟以上，运动时间不足20分钟，则仅消耗少量血糖，不会消耗脂肪，达不到加强心肺功能效果。"五"是一周不少于5次运动。"七"是指运动后心跳数必须达到170减去本人年龄之数。

一般来说，"三、五、七"提示了运动量的标准。正常运动后出点汗，心跳呼吸加快，休息5~6分钟即可恢复，也是粗略的估量。日本人提倡万步运动，已为他们成为世界长寿之国奠定了基础。目前倡导的徒步旅行，更是集休闲、锻炼、养生、文化为一体的好运动方式。专家们同时注意到，既要静中有动，还要动中有静。

第五基石 早防早治

孙思邈说"上医医未病之病，中医医欲病之病，下医医已病之病"。按他的讲法，现在绝大多数医生都是下医，治的是已病之病。

对疾病，要早防早治，李嘉诚就是这个理念的实践者，一直身体力行。我很赞成他讲的一句话："人的健康如堤坝保养，最初发现有渗漏时用很少力量就可以堵住漏洞，不加理会，等到崩堤时，要花很大的人力物力可能都不能挽回。"

01 定期体检有助预警

没有任何一部机器比生物体更复杂、更精密。人体每天在进行新陈代谢、功能运转，可是任何疾病都有它发生、发展的过程。所以不能希望通过一次体检终生无忧，每年定期体检方能起到筛查的作用。

定期体检咨询是间隔一定时间进行的，其长短可因不同个体、不同需要而有所不同。高龄者和高危人群每半年就需要体检一次；一般成年人应每年做一次健康体检。

不同年龄的人的体检，切入点应有所区别。中年人要强调血压、血糖、血脂检测，早期肿瘤的监测和眼底及前列腺检查；老年人需定期检测的项目应该有体重、血压、眼底、胸片、甲胎蛋白测定、大便潜血试验、肛门指检等；女性则应偏重各种妇科疾病，如白带异常、子宫肌瘤等，检查项目上应包括妇科检查、B超检查等。

慢性病则需要定时进行复诊和检查。轻症糖尿病患者至少应每一个月检查一次血糖，并检查是否有合并症发生。乙肝患者每半年要检查一次肝脏B超，便能及早发现肝脏的病变。胃病患者每年做一次胃镜检查，随时掌握疾病的发展和变化，及时调整用药，以达到治疗的最好效果。

而呼吸疾病中慢阻肺容易被漏诊断或误诊，就算在发达国家，它的漏诊断或误诊率都高达50%以上。实际上要真正了解自己肺部是否健康，你只要像测血压一样测一下自己的肺功能就可以了，时间只需要20分钟。40岁以上市民，特别是烟民，应每年到医院检查一次肺功能，千万不要等到发现自己上楼喘不过气时再到医院就诊，那时已经晚了，因为此时肺通气功能损害已接近50%。

02 早防早治有助疗效

早防早治实在太重要了，很多患者在广州这么好的条件下都不注意。慢性病是对我们危害最大的疾病，80%的人最终都是死于慢性病，以心脑血管病、癌症、糖尿病和慢性呼吸系统疾病为主。人感觉不到的疾病，可能已经有人有了，如高脂血症、脂肪肝、高血压病等，病程很长，早期没有症状，如果早期发现一治疗就非常好，中晚期治疗办法不多。发现疾病为什么不早点看，差一年就差很远。

我们国家的高血压患者一直在增长，血管慢慢增厚了，本来很通畅的，但是慢慢血液流不过去了，心脏也越来越吃力，就得了高血压性的心脏病。血压高，你要将高压降低10个mmHg，带来的益处就可以减少心肌梗死、心力衰竭、卒中的发生率。

可能是由于工作比较紧张，糖尿病在中国增长非常快，比印度、日本都快。中国现在的糖尿病患者接近10%，患糖尿病本来大家就没有感觉，主要是合并症，一有了合并症以后就产生高血压、冠心病、下肢动脉缺血。只要将血糖控制好了就可以使这些病减少30%以上。

现在我非常主张单位和领导重视职工的体检，每年有一次体检，早期发现问题就可以治疗。很多病早期就有了，没有管也没有治疗，著名演员高秀敏早就心脏不舒服，但是还在演出，那天晚上说不舒服，把门关上睡觉，结果第二天就去世了。要是早些重视，去医院处理，不会有这个悲剧。

广州的肿瘤患者20%是肺癌，然后是肠癌、胃癌、肝癌，乳腺癌也很多，其实这些早期治疗就完全可以好转。1994年在珠海，我们对普查对象做了低剂量的CT扫描，结果发现早期肺癌48例，全部做了手术，现在20多年了，存活率85%，也就是说绝大多数都活得非常好，做完手术一点问题也没有，现在身体好得很。所以即使是恶性肿瘤，只要早期发现早期治疗，很快就可以解决问题，效果非常理想。

03 "5P" 是健康医学发展的趋势

目前很多疾病都是能预防的。我现在经常提 "5P" 医学模式：Predictive（预测性）、Preventive（预防性）、Preintervention（早干预）、Personalized（个性化）、Participatory（参与性），这五项是能保持人健康长寿的关键，也代表健康医学未来发展的方向。

预测性，是对很多问题预先有个评估，比如父母、亲友患有冠心病、肿瘤等疾病的情况，你就需要早点注意饮食问题。

预防性，防止疾病发展，变得严重，要从很多方面预防，如限酒戒烟，但主要还是改变自己养成的不良生活方式。

早干预，现代人的疾病80%都是慢性病，如高血压、冠心病、糖尿病、慢性阻塞性肺病及肿瘤等，病程经常10年以上。及时体检，发现后早期治疗，是可以好转甚至治愈的。

个体化，就是要根据个人情况来进行诊断和治疗，每个人的情况不一样，方法和措施也不一样，要因人而异。

参与性，讲的是群防群治，要树立健康中国的大意识，努力提高全民族的科学素质，健康观念，这需要通过社会科普来加强。所以只要我时间允许，都愿意出来做些健康科普、写点小册子。

第六基石 洁净环境

作为医生，我认为百姓吃的东西没毒，喝的水放心，呼吸的空气干净，比发展经济还重要。科学发展是硬道理，将环境治理作为考核领导政绩的重要指标，我认为一点都不为过。

现在对我们来讲，非常重要的就是空气、水、食物、噪音、理化物质的控制。这几年我一直关注、并在不同场合讲过大气污染的问题，雾霾产生的影响，希望用自己的声音去引起大家的共鸣和积极参与，共同保护环境，维护我们生活的家园。

01 留意室内空气四大"污染源"

我们讲空气污染，多数关注室外的大气污染。我要指出的是，室内空气也非常重要，其污染状况不容忽视。因为我们80%的时间都在室内，5%的时间在汽车里，所以85%的时间在室内，不是室外，所以对室内也要特别注意。

室内常常有很多污染因素，如抽烟、燃料燃烧、室内建材、电器等的污染，都会对人体的健康产生影响。特别提醒大家室内空气的四个"污染源"，吸烟、建材、挥发性有机物、过敏原。在室内吸烟引起的危害最大，特别是一个人抽烟，其他人被动吸烟，孩子与伴侣都要特别注意。如果伴侣每天吸烟的量越多，相处的时间越长，他及家人得肺癌的机会越大。为什么很多女性一得就得腺癌，有的是抽烟的，有的是大气污染的，有的是被动吸烟的，所以对伴侣的影响不要小看。

大家要特别注意建材，有人家使用大理石家装，大理石里有氡气，长期放射会引起肺癌。我认识一位朋友，他家条件特别好，装修非常好，结果2个都得了肺癌，我想可能跟装修的放射性物质有关系。要特别注意血液病，如果孩子得了血液病对家庭是灾难。血液病怎么来的？抽烟的问题，特别是苯、有机物，接触多了，因为孩子敏感容易得血液病。很多白血病的孩子都跟家里的装修有关系，所以一般装修都应测量一下，特别是甲苯。甲醛有味道大家都要注意，甲苯的味道不太明显，但是对孩子的影响很大。甲苯常常是杀手，汽车里也有，家庭有，进入体内常常跟抽烟、燃料、室内装修、工业有关系。

再有就是过敏，房间一开冷气孩子往往过敏，这很可能跟空调滤网中螨有关系，特别是广州，由于湿和热，易滋生螨虫，必须注意每个星期对滤网进行清洗。

02 空气污染正在危害国人健康

世界上污染最严重的10个城市里有7个在中国，据世界卫生组织2011年公布的1082个城市空气质量数据，中国空气质量最好的城市海口，排名也在倒数273，北京则排名倒数第46，是全世界首都中最差的。空气污染使小儿呼吸病的发生率增加。孩子在发育的过程中，随着二氧化氮、PM2.5及PM10浓度的增加，不管是男生和女生，在生长期的肺活量及每秒钟肺活量都是呈负相关的下降。清洁的水与空气是人健康最基本之需。

雾霾直接伤害的是呼吸道，这点公众比较容易感受到。雾霾对呼吸系统影响最大，可以引起急性上呼吸道感染、急性气管炎、支气管炎、肺炎、哮喘等疾病。另外，雾气持续不散，会加重老年人循环系统的负担，可能诱发心绞痛、心肌梗死、心力衰竭等。

但危害其实是多方面的，有对神经系统、泌尿生殖系统、内分泌系统、心血管系统、呼吸系统的危害，甚至对受孕、胎儿发育等的危害。它会让人多器官发病，甚至直接导致死亡。特别是大气中较高浓度的光化学气体时，可以发生急性中毒。例如在20世纪50年代的英国伦敦，70年代的美国洛杉矶，曾经发生数千人急性中毒死亡事件。

在国际上，空气污染对心脏影响的研究非常热。随着一氧化碳、二氧化氮、PM10浓度增加，心律不齐发生率有逐渐上升趋势。对于已有心血管病的患者，PM2.5增加10微克/立方米时，心血管病急性发作的事件可增加40%。

就灰霾对人的影响，世界卫生组织以25个微克每立方米作为一个极限，这个极限每增加10，病死率增加1%。我的一个朋友在中国香港做了5万多人的流行病学研究，发现PM2.5从20增加到200，肺癌的病死率增加11%。

比雾霾更糟糕的灰霾天气不仅影响空气的能见度，使人们看不到蓝天，心情变得压抑，还会对人的身体健康产生危害。灰霾中的细小颗粒会直接进入并黏附在人体呼吸道和肺叶中，继而沉积于呼吸道和肺泡中，引起鼻炎、支气管炎等病症，长此以往将可能诱发肺癌。

雾霾对人健康的影响不仅是我们这一代人，如果不马上治理，将危害后代。有数据表明，物质燃烧所致空气污染可导致婴儿早产率增加，减缓婴幼儿生长发育的速度，引起包括哮喘等疾病。早产儿出生增加将十分明显，优生优育无从谈起。

国外对空气污染与疾病发作的关系的观察，大多限于空气中各项指标未超过世界卫生组织所制定的标准的范围内，例如PM2.5最高不能超过40微克/立方米。很多西方国家明确规定空气污染超标，当地政府和企业应该负责。我们国家的空气PM2.5到200微克/立方米不少见、甚至有时达到1000微克/立方米。我国大部分城市空气污染（PM2.5、PM10、NOx）较西方空气最高容许度高20倍，其对人体健康影响的研究极少，危害远未阐明。

我认为空气污染对人的危害现在还没明显地显露出来，严重的空气污染其危害比非典还严重。目前人类死因中八成是慢性病，空气污染几乎与所有慢性病发病有直接或间接的关系。人不能不呼吸空气，雾霾人人受害，无法躲避。

03 雾霾对肿瘤的影响比较大

雾霾是大量的微尘悬浮在空气中而形成的。雾霾中含有大量的PM2.5。PM2.5，又称为"细颗粒物"，是指大气中直径小于或等于2.5微米（相当于人的头发丝粗细的1/20大小）的颗粒物，也称为可入肺颗粒物，极容易被人体直接吸入肺中。

雾霾中含有大量的有毒、有害细颗粒，包括酸、碱、盐、胺、酚，以及尘埃、螨虫、流感病毒、结核杆菌、肺炎球菌等，其有害物质含量是普通大气的20多倍。气象专家和医学专家认为，由颗粒物造成的雾霾天气对人体健康的危害，甚至要比沙尘暴更大。

对于雾霾和疾病乃至肺癌之间的关系，来自日本、美国等9个国家的明确证据表明，肺癌发病率的增加与雾霾关系很密切。美国一项研究花了26年时间对18万人进行观察，发现PM2.5每立方米增加10微克，肺癌患病的风险率就增加15%～27%，在日本和丹麦也有类似的结果。一般来说，PM2.5浓度每增加10微克/立方米，肺癌风险性增加25%到30%。

美国的研究还发现，雾霾对乳腺癌的发病率也有影响：PM2.5浓度每增加5微克/立方米，患乳腺癌风险增加50%。

当然这些是国外的资料，他们的特点是都是经过长时间追踪研究，最短的是9年，最长的是14年，才得出结论。截至目前，我没有看到中国有很准确的追踪观察。

从国外资料和国内现象看，雾霾与肺癌之间是有关系的，但在中国有多大的影响，说出准确的数字还为时尚早。目前我的一个研究小组正在研究雾霾对呼吸系统健康的影响，最近也在做动物实验，如将豚鼠放置在珠江隧道中2周，这里的PM2.5的浓度在170到180微克/立方米，对照普通豚鼠，实验豚鼠出现咳嗽的要多4倍。

空气中的二氧化硫浓度高，而致癌物质对身体的影响，可能在5～10年才会出现。近年来，广州有个奇怪现象，吸烟的人少了，但肺癌患者却莫名增多。其中的原因，就是空气污染远超尼古丁，是制造肺癌的头号杀手。

调查发现，广州肺癌发病率比20多年前增加30％，一般人都以为吸烟有关，但城市和农村的烟民没什么大差别，而城市肺癌发病率却比农村高，死亡率亦然。这不是诊断技术水平差异。城市肺癌多由空气污染引起，死亡率比农村高23倍。

在广州，肺癌的发病率数荔湾最高。因为西关人口密集，而且有烧煤传统，空气差，近13年来的数据显示，该区肺癌发病率达359/10万，紧随其后的是越秀、海珠区。最近荔湾肺癌病发率又有所增高。

现在整个珠三角正面临着复合型大气污染的威胁，而复合型污染的直接后果就是导致光化学污染和灰霾天增多，并对人体造成巨大的危害。想想看，每个人一天呼吸2万多次，意味着1万多升这样的气体出入我们的体内，如果空气质量不好，对人的危害太大了！我们的研究发现，因大量污染物被吸入肺部，接受调查的广州居民（50岁以上）的肺脏已丧失了很多自我净化能力，肺都是黑色的。

04 灰霾天易致呼吸疾病高发

空气污染还会引致过敏性鼻炎、哮喘等疾病。现今过敏性鼻炎的病发人数比以往增多明显，尤其是在灰霾天。凡是灰霾天，呼吸道门诊的人比平时多15%～20%。作为呼吸科医生，我们最怕出现灰霾天气。

值得注意的是，灰霾天所造成的大气中微生物的污染也不容忽视。广州的复合型污染的加重，空气中气溶胶也相应增加，容易滋生微生物，能致病微生物气溶胶附着，悬浮在空气中，产生导致人体过敏的细菌。

现在广州地区的空气微生物有青霉菌、曲霉菌等，这就是为什么最近广州曲霉菌造成的肺炎比往年增多了，出现率大大超标。我们还要注意到微生物能传播传染病。2003年，香港淘大花园SARS一下子感染那么多。后来根据气流分散的模式研究发现，某栋楼房一个人感染了SARS，病菌根据气溶胶的流动传入呼吸道，顺着大厦的空气流动，传染到后来的感染者体内。

05 治理空气污染需要全民参与

空气的清洁比食物安全更重要。现在很多城市空气污染非常严重，我国北方很多地方经常出现沙尘暴，包括首都北京。值得注意的是，非沙尘暴（如汽车尾气）污染对人的损害不亚于沙尘暴。

目前看来，汽车尾气是空气污染最主要的"凶手"之一，其产生的氮氧化物和有机挥发物质，经紫外线照射形成的臭氧，从而造成灰霾天，人体的呼吸道是首当其冲，受到毒害。国外也有很多汽车，但为什么人家不会造成大气污染或者大气污染不严重？我们的污染很严重，原因就是很多汽车排放的气体都是不合格的。很多城市提倡绿色出行，就是要解决大气污染，解决大气污染就要找到源头。

目前我们国家已经立法，把灰霾天作为污染的重要标志，这是值得高兴的。但治理空气质量不在立多少法，关键是如何加大执法力度。我认为目前汽车尾气排放缺乏监管，建议政府加强执法，严惩"黑尾车"，才能真正治理好大气污染。

空气污染越来越严重，绿色出行方式节约能源、提高能效、减少污染、有益于健康，应该受到提倡。乘坐公共汽车、地铁等公共交通工具，或者步行、骑自行车，都能降低出行中的能耗和污染。我支持绿色出行，实现绿色出行除了尽量乘坐公共交通工具、步行、骑自行车等方式外，还有更关键任务就是净化空气。

我生活的城市提出"绿色广州"概念，我认为应该有两层含义。一层是整治空气污染，内涵是净化空气，实现蓝天绿水。第二层含义则是"健康广州"和体育运动的结合，而步行、骑自行车等都是对普通人最好的健康方式。

健康生活小贴士

⠿ 雾霾天不宜出门

雾霾天气是心血管疾病患者的"杀手"，尤其是有呼吸道疾病和心血管疾病的老人，雾天最好不出门，更不宜晨练，否则可能加重病情，甚至导致心脏病发作，引起生命危险。

之所以说雾天是心血管疾病患者的"危险天"，是因为起雾时气压低，空气中的含氧量有所下降，人们很容易感到胸闷。早晨潮湿寒冷的雾气还会造成冷刺激，很容易导致血管痉挛、血压波动、心脏负荷加重等。同时，雾中的一些病原体会导致头痛，甚至诱发高血压、脑出血等疾病。因此，患有心血管疾病的人，尤其是年老体弱者，不宜在雾天出门，更不宜在雾天晨练，以免发生危险。

⠿ 外出时做好防护措施

如果外出可以戴上口罩，这样可以有效防止粉尘颗粒进入体内。口罩以棉质口罩最好，因为一些人对无纺布过敏，而棉质口罩一般人都不过敏，而且易清洗。外出归来，应立即清洗面部及裸露的肌肤。

⠿ 雾霾天气少开窗

雾霾天气早晚尽量不要开窗通风，最好等太阳出来，雾气散的差不多时再开窗通风。

⠿ 适当喝清热润肺的饮品

在中医看来，罗汉果是清咽利肺、止咳化痰的首选，可以防止在多雾天气中引起的咽部瘙痒，有润肺的良好功效。尤其是在雾天，午后喝效果更好。此外，桐桔梗茶有清火滤肺尘功能，可以有效地协助人体排出体内积聚的PM2.5颗粒物及其他有害物质。

⋮ 饮食清淡多喝水

雾天的饮食，宜选择清淡易消化且富含维生素的食物，多饮水，多吃新鲜蔬菜和水果，这样不仅可补充各种维生素和矿物质，还能起到润肺除燥、祛痰止咳、健脾补肾的作用。少吃葱、蒜、辣椒等刺激性食物，多吃些梨、枇杷、橙子、橘子等清肺化痰食品。

第三章
常见呼吸道疾病的防治

健康忠告

◆ 寒潮来袭，如何预防流感

◆ 哮喘防治讲究规范

◆ 慢性阻塞性肺疾病（COPD）的防治

◆ 慢性咳嗽防治

一、寒潮来袭，如何预防流感

每年进入寒冷的冬季，全国各地也相继进入流感高发期。究竟如何从症状上判断是普通感冒还是流感？什么样的人群最容易成为流感重症病例？应该如何预防？

01 如何从症状上判断普通感冒与流感

流感的症状与普通感冒的症状相类似，主要有发热、全身疼痛、喉咙痛、咳嗽等。那么，如何区别一般感冒与流感呢？如果周围的人都发生类似的表现，就要警惕了。若个别人出现发热症状的，应该属于一般性感冒，问题不大，不用紧张；但若所处的群体中多人同时出现感冒，那就要注意了。不能从症状来鉴别是否得了流感，但是从群体看，周围的人都发生了类似的情况，那就要警惕是否是流感。

02 出现感冒症状怎么"自救"

休息加喝水比吃药效力更好。普通感冒很常见，并不可怕，一般来说不需要积极处理，所谓的积极处理就是打吊针，这是不需要的。有些人感冒了喜欢自己买药吃，其实休息加喝水比吃药效力更好。感冒后最好是在家里休息，不要坚持工作。

03 预防流感哪些方式最有效

体质弱者尽量少去人群密集的地方。到现在为止，我们所知道的预防流感的做法有居室通风、及时穿衣服等。流感之所以出现重症病例，这与患者体质有关。

比如老年人，他们体质比较弱，患流感后容易出现重症病例。另外，患有基础病的人，免疫功能比较差，患流感后容易加重原有的心血管病、肝脏病等。

此外，孕妇、儿童也属于流感重点保护人群，需要提高警戒。聚集性的流感发生和传染很快，建议在流感高发期，尽量少去人群密集的地方。

04 流感疫苗年年打

接种流感疫苗是较好的预防办法，但每年的流感病毒会有变化，接种了去年的流感疫苗并不能保证今年的流感高发季来临时不得流感。

目前我国人群中流感疫苗接种率较低，《中国流感诊治指南》中有明示，流感疫苗接种适应人群有三种类型：优先接种、推荐接种、不推荐接种。

优先接种人群：6个月到5岁的儿童、老年人、有基础病史者，还有就是在流感季节生孩子的妈妈，这些人群都必须优先考虑。

推荐接种人群：医务人员、养老院工作人员、曾经的流感患者家属以及易感人群等，都推荐接种。

不推荐接种的是，有过敏史者、有急性病的（比如心脏病急性发作、肾脏病急性发作）均不推荐接种疫苗。

05 入冬后保护呼吸道的几个小建议

一是注意足部保暖。足部着凉，全身血液循环不畅，会引起鼻、咽、气管等上呼吸道疾病。所以，建议睡前用热水泡脚，稍做按摩，以预防呼吸道感染。

二是不要在室内抽烟。大人不要在室内吸烟，即使孩子不在家时也要做到不抽烟，因为烟味会附着在室内，等孩子回来，依然会伤害其呼吸道。

三是洗手洗脸。外出前用凉水洗脸，增强对外面气温的适应能力。外出回来必须洗手，流感病毒在手上能长时间存活，从这个角度讲，洗手是防病的"第一道关"。

二、哮喘防治讲究规范

哮喘是儿童和成人的常见疾病，它是空气进出肺部的通道发生的慢性呼吸道疾病。多年来的流行病学研究表明，颗粒物短期或长期的存在（雾霾天气），都会对人体产生不良的影响，短期的存在可以导致支气管发病率的上升，长期的存在就会带来包括肺功能和免疫功能下降、心脑血管疾病死亡率上升等诸多影响。在易感人群当中，这种效应就会更加明显。

跑上一段路，就会觉得呼吸困难，一般人认为这是体质差；孩子早晨、晚上总是咳嗽，一般家长总认为是得了咽炎；每天早晨起来打喷嚏，流清鼻涕，我们会以为是感冒着凉了……上述现象相当大一部分实际上是哮喘或过敏性鼻炎。很多患者，包括少数医生也对哮喘的认识比较片面，存在很多误区。

现在哮喘有很多不典型性症状，如发作性咳嗽、胸闷、运动后呼吸困难等，应该引起足够的重视。

01 哮喘治疗的三大误区

误区一：哮喘不发作就不治疗。2013年发布的"全国哮喘患病及相关危险因素"的调查结果分析，很多患者哮喘一发作就往医院跑，感觉症状稳定了，就逐渐减少用药甚至擅自停止用药，结果往往造成病情的反复。网络调查结果也显示，近两成（17.3%）的受调查患者或其家属认为没有症状就应中断治疗，或者认为是药三分毒，能不用就不用。

这是一个很普遍的误区，稳定期的维持治疗是哮喘患者长期管理的重点内容，可以明显减少患者哮喘急性发作次数，以及入院治疗费用及总体治疗费用，并且保护肺功能，有助于改善患者及家庭的生活质量。

误区二：拒绝激素治疗。不少患者和家属听说需要长期吸入激素来治疗，担心激素的副作用，对身体造成伤害，尤其是女性和儿童患者，怕吸入激素会发胖或影响生长发育。所以，在哮喘症状缓解后，往往自行断药。有些患者转而去使用未经正规批准的偏方，潜在危害很大。

其实，吸入激素是目前公认的有效且安全的哮喘治疗方法。支气管哮喘的本质是一种慢性气道炎症，这种炎症属于变态反应性炎症，不同于细菌感染性炎症，使用抗菌素治疗是无效的，只有有规律地应用激素才能抑制此类炎症。吸入疗法为局部用药，剂量小、直接作用于靶器官、起效快、全身不良反应少、无痛无创，适合包括儿童在内的哮喘人群的防治。现有的研究表明，儿童患者使用吸入型糖皮质激素是安全的。吸入激素治疗，药物可直接吸入气管，直接作用于气道，吸入血液循环的药物剂量极小，吸入激素治疗所需的激素剂量也比口服给药所需剂量小得多，大约只相当于口服剂量的1/10至1/20，所以长期吸入激素治疗一般不会造成全身性的副作用。

误区三：治疗期间不检查肺功能。患者常常根据自身的某些症状及用药次数，来判断哮喘的病情，这样的做法主观成分较多。每个人对某一个症状的轻重判断都可能有很大的差异，所以需要能客观反映哮喘疾病程度的指标。

而肺功能对于哮喘的诊断与评估很有价值，其指标为医生诊断和治疗提供重要参考。

02 规范治疗，八成患者病情可控制

虽然哮喘不可根治(从遗传因素、基因异常上讲)，但是80%以上经过规范治疗的患者的病情可以得到完全控制或良好控制，意味着患者可摆脱哮喘的束缚，完全可以和正常人一样工作、学习，过上健康的、有活力的生活。所以，从临床的表现看，在这个意义上，它是可以根治的。

据调查，我国的哮喘患者在2000万以上，但只有不足5%的哮喘患者（在大城市也只有25%的患者）接受过规范化的治疗，更多的人（包括医生和患者）因为对哮喘认识不足而忽视了正规的治疗。

除了患者对疾病认知上的差别，我国哮喘患者难以得到规范治疗的原因还在于：一些非正规医疗机构和厂商，利用哮喘患者求医的迫切愿望和哮喘知识的贫乏，打着传统中医中药、祖传秘方的幌子，通过无孔不入的广告，发布夸大其词的信息；非法生产、销售没有经过正规的临床试验和国家食品药品监督管理局批准的制剂，以低廉的成本谋取高额的利润；某些大众传媒，甚至某些所谓的专家、所谓的学术团体，在利益所驱动下为其推波助澜，大声造势。

现在有些江湖游医和伪劣假药屡禁不止，许多号称可以根治哮喘病的"秘方""偏方"，经常混入激素和氨茶碱，含量往往比较大，许多孩子吃了后都有发胖、生长减慢的现象，有时甚至会引起危及生命的严重后果。所以哮喘患者千万不要轻信广告，要走正规的医疗途径。

03 哮喘患者应每4周进行1次评分

在哮喘的评估监测和管理方面，《2006全球哮喘防治倡议

（GINA）》就曾推荐使用一种名为"哮喘控制测试(Asthma Control Test，简称ACT)"的工具对患者的哮喘控制状况进行监测及管理。

这就如高血压使用的血压计，糖尿病使用的血糖仪一样。不过，ACT并不是一台仪器，而是一个包括五个问题的问卷，通过这份问卷，可以帮助患者长期自我监测哮喘控制的水平。当患者被诊断为哮喘时，正在接受哮喘治疗或随访期间，都应当每4周进行1次ACT评分。一旦分值<20分时，提示患者哮喘未得到控制，应及时就诊，并接受进一步诊疗（各位读者也可以自行登录哮喘联盟网站:www. chinaasthma.net，获得更多ACT信息，进行ACT测试了解自身哮喘控制状况。）

04 过敏性鼻炎和哮喘：同一气道两种疾病

过敏性哮喘和过敏性鼻炎是同一气道的两种疾病，如果不联合治疗的话，两种病就很容易互相影响。过敏性鼻炎和哮喘是在一个气道内的疾病，病因相似、气道炎症也类似。因此，在临床上常常同时存在，只不过其中某个部位更严重，患者常会忽视另一部位。

78%的哮喘患者患有鼻炎，而过敏性鼻炎患者的哮喘患病率比非鼻炎者高3倍。根据世界卫生组织出版的《过敏性鼻炎及其对哮喘作用》，婴儿期患过敏性鼻炎患者在11岁时哮喘发生的危险升高1倍。

由此可见，过敏性鼻炎是发展为哮喘的高危因素。因此，如能在发病早期对过敏性鼻炎采取正确、有效的治疗措施，可以有效避免哮喘的发生。

对于已经发展成哮喘的患者，我也建议必须首先控制过敏性鼻炎，因为过敏性鼻炎可以加重哮喘的发作，而且，一旦忽略过敏性鼻炎的治疗，哮喘很快就会复发。

根据全球哮喘防治创议纲要建议，过敏性鼻炎与哮喘应当进行联合治疗，即过敏性鼻炎患者应当评价哮喘状况，而哮喘患者应当评价过敏性鼻炎状况。过敏性鼻炎的最佳治疗可以改善共存的哮喘，显著减少哮喘的发作次数及改善症状。

05 控制哮喘的方法

如何才能更好控制哮喘？关键应从哮喘治疗的规范化、个体化入手。

一是解除支气管痉挛和控制气道炎症双管齐下。

二是坚持长期治疗和观测。由于哮喘具有长期性、反复发作性和部分可逆性等特点，因此通常需要坚持长期的抗炎治疗，长期进行病情监测和评价。

三是坚持个体化治疗。不同的哮喘患者、不同的病情严重程度，或者同一位患者在不同的时期，其症状和体征存在着很大的差异，因此，每一位患者都不能使用一种固定不变的治疗方案，而应根据哮喘病情严重程度的分级采取不同的治疗措施，即阶梯式治疗方案也就是个体化治疗，使用尽可能少的药物达到控制哮喘的理想目的。

三、慢性阻塞性肺疾病（COPD）的防治

慢性阻塞性肺疾病(简称"慢阻肺"或"COPD")，是以不完全可逆的气流受限为特征的慢性肺部疾病，临床上常表现为反复发作的咳嗽、咳痰、呼吸困难等症状，通常呈现出进行性进展的特点，包括了绝大部分慢性支气管炎和肺气肿。

目前，我国男性COPD患病率为12.4%，女性为5.1%。在这些广为呼吸科医生所熟知数字的背后，低诊断率和严重的医疗负担是COPD的诊疗现状。

01 像监测血压一样监测肺功能

据统计，我国70岁以上的男性，大约有20%患有COPD，而40岁以上的男性，发病率也高达12%。这类患者通常感觉呼吸不顺、分泌黏性痰多、长期咳嗽，病情发展到后期，只要稍微活动就感觉很辛苦。

尽管从表面上看，COPD的发展进程相对缓慢，但实际上患者的肺功能在早期便已经呈现出快速下降的趋势。目前，肺功能检查有助于发现早期无症状或症状不明显的COPD患者。建议在社区医院开展筛查工作，以及时进行COPD的早期诊断和早期干预。尤其是对于45岁以上，又有吸烟的人群，应像监测血压一样，定期到医院进行肺功能检查。

监测对象特别是四类高危人群，包括长期抽烟者、反复呼吸道感染者、长期接触室内污染（如农村地区烧柴火、厨房油烟等）者、职业性粉尘接触者，更应坚持定期肺功能检查。

我建议：COPD的高危人群至少每半年做1次肺功能检查，像上了年纪、职业有接触粉尘、长期抽烟的，都应注意排查。一旦多次检查结果显示肺功能差或是持续减退，就是一个危险信号。

02 COPD预防意义更重大

患上COPD不是世界末日，这是说防治COPD"未为晚也"，也"永远不晚"。即便是中晚期的COPD，现在也完全有办法改善，最关键是能尽量减少或避免患者气喘发作。

每次气喘发作对患者的身体来说，都是相当大的打击。发作后需要几个星期才能恢复，肺功能也将再度下降。天气变化、感染等因素都很容易引发气喘，而反复的急性发作无形中提高了患者的死亡系数。

现在预防COPD的发作已经被提到比治疗更重要的位置。而临床证明，COPD患者如果能维持1～2年不发作，体质将能得到很好的改善。

那么，如何预防COPD复发？一方面，在急性发作时，以缓解症状为主，使用舒张支气管的药物，气喘缓解了，其他症状自然能得到改善；另一方面，平时可定期服用抗氧化剂，也能帮助减少复发；此外，也推荐COPD患者注射肺炎球菌疫苗，以降低感染概率。

03 COPD患者应维持长期治疗

COPD患者应尽早进行长期维持治疗，其中新型长效β2激动剂如福莫特罗，及抗胆碱能药物如噻托溴铵，作为国内外指南推荐的一线用药，正受到越来越多临床医生的重视。根据国内外治疗指南的推荐，COPD达到中度(Ⅱ期)时即应开始使用这2类药物。2009年年底国家将其列入医保目录，这不仅将大大减轻患者经济负担，还将使更多患者能在疾病早期就及时控制疾病进程，提高治疗效果，降低死亡风险。

我们近年的研究发现，长期治疗COPD可以老药新用。这个研究成果得到了权威的《柳叶刀》杂志的认可——老药羧甲司坦长期治疗能预防COPD的急性发作。我们的研究显示，治疗1年的累积急性发作次数在羧甲司坦治疗组比对照组显著减少，每年每人急性发作率在羧甲司坦治疗组减少了24.5%，其疗效接近于国际上标准的吸入皮质激素联合长效β激动剂，或长效抗胆碱能药物，并且其治疗效果不受慢阻肺严重程度以及合并用药的影响。研究同时发现，羧甲司坦还能显著改善慢阻肺患者的症状和生活质量，而且可喜的是，服用这个剂量安全性良好，基本上没有副作用。预防COPD急性发作还可以显著减少医疗资源的消耗。羧甲司坦是国产药，服用方便（口服），较之国际标准的吸入治疗方法，常规治疗费用可减少85%，每人每年可节约治疗费用3670元，平均每位患者的急性发作治疗费用可节约2480元。

04 运动才是"特效药"

COPD患者最好坚持每天做运动。在我看来，适量运动对COPD患者意义非同一般，是另一种"特效药"。

我随诊观察的几名晚期COPD患者，初诊肺功能仅有4级，不及正常人的20%。现在他们病情都控制得比较理想，其中有一名居然能慢慢爬上白云山了。而这几位患者，无一例外都是听从了医嘱，坚持每天半小时的运动量。

我指的运动，不是要大汗淋漓的那种，而是散步、打太极拳等。提倡患者坚持运动，最终目的也是为改善体质。全身性的非剧烈运动，可加快身体代谢，有利于帮助炎症清除，同时肌肉得到锻炼，避免了下肢萎缩，呼吸功能也能得到很好的改善。

患者在有规律服药的基础上，配合适宜的运动方式，持之以恒地进行，以后每年能慢慢感觉到病情的改善，甚至10年、20年气喘不发作，都是可能的。

四、慢性咳嗽防治

咳嗽是内科门诊最常见的一个病症，而咳嗽患者更是占据了呼吸科门诊量的八成以上。然而，在各种各样的咳嗽患者中，有一种人的咳嗽可以说是"长年不愈"，每次看病，医生总是在诊断栏写上：慢性支气管炎。可吃了无数抗生素、做了无数检查，咳嗽还是"早晚相随"。

临床上引起慢性咳嗽的原因，其实多数并非慢支炎或者慢性咽炎。根据我们的研究，引起慢性咳嗽的原因有很多种，医生如果没有对症治疗，那么使用再多的抗生素也无法治好患者的咳嗽，而且还会浪费医疗资源，引起患者的耐药。

01 慢性咳嗽患病率高

咳嗽作为内科门诊最常见的"主诉"，一直为临床医生所关注。临床上通常将以咳嗽为唯一或主要症状、病程≥8周、胸部X线影像无明显异常者称为慢性咳嗽。在欧洲，咳嗽的患病率为7%~18%；国内因慢性咳嗽前往专科门诊就诊的患者约占全部患者的30%。一项针对广州地区1087名大学生咳嗽的现场调查结果显示，该群体咳嗽总患病率为10.9%，其中急性咳嗽总患病率为7.6%，慢性咳嗽总患病率为3.3%。

目前医学界将咳嗽按照时间的长短分为急性咳嗽、亚急性咳嗽和慢性咳嗽。临床上通常将咳嗽时间小于3周的称为急性咳嗽，咳嗽时间介于3~8周者定义为亚急性咳嗽，大于或等于8周为慢性咳嗽。急性咳嗽病因诊断相对容易，普通感冒是最常见的病因。

02 六成以上慢性咳嗽患者被长期误诊

慢性咳嗽的病因较为复杂，不仅涉及呼吸系统，有些还与耳鼻喉、消化系统疾病等有关。由于慢性咳嗽患者的伴随症状少，X线检查又没有什么异常，所以误诊率相当高。根据我们研究所的一项调查，临床上约有64%的慢性咳嗽患者曾被误诊为"慢性支气管炎"或"慢性咽炎"，平均误诊时间为5年，最长为20年。

由于误诊，这些患者被大量使用抗生素治疗，有些患者还因诊断不清而反复进行X线胸片、CT和纤支镜等检查，不仅加重了患者的经济负担，还极大地影响了患者的生活、学习和工作。

部分患者还因为长年咳嗽而影响了心血管、神经、胃肠道、泌尿生殖、肌肉骨骼和呼吸系统，导致多种并发症。常见并发症包括感觉不适、疲惫无力、夜间失眠、肌肉酸痛、声音沙哑和尿失禁等。一个统计显示，高达25%的女性慢性咳嗽患者由于剧烈咳嗽导致尿失禁，严重的患者甚至上班时需要用"尿不湿"。

慢性咳嗽不仅影响患者的生理功能，有时还会导致患者的严重的心理障碍。有些患者由于咳嗽久治不愈，怀疑得了什么"不治之症"，或担心被人认为得了什么"传染病"，造成严重的焦虑症和社交障碍，严重时不敢去上班或上学。

03 慢性咳嗽发病机制复杂

咳嗽是人体最重要的呼吸防御反射之一，能有效清除气道内异物及过多的分泌物，多种因素可引起咳嗽反射。咳嗽的反射器不仅分布在咽喉、气管、支气管，还分布在鼻腔、副鼻窦、外耳道、心包、胸膜、食管等多个脏器。中医《黄帝内经》曾论述"五脏六腑皆令人咳，非独肺也"。与咳嗽有关的气道传入神经包括有髓鞘的Aδ纤维和无髓鞘的C纤维。

目前主要观点认为，不同病因引起咳嗽的主要类型包括：①多种作用于气道表皮上层的化学感受器，如瞬时电位受体、辣椒素受体（TRV1），通过C纤维传导引起咳嗽反射，此类型咳嗽多见于感冒咳嗽、变应性咳嗽、嗜酸性细胞气管炎等；②某些介质（如组胺、神经肽等）可作用于气道平滑肌上的机械感受器Aδ受体（主要是快适应受体），引起平滑肌收缩，刺激Aδ纤维引起咳嗽反射，见于咳嗽变异型哮喘。

04 四大病因最常见

寻找病因对慢性咳嗽的治疗具有重要意义，但是此前我国一直缺少大样本、多中心的全国性资料。2009年，在中华医学会呼吸病学分会的领导下，全国多家医院参照中国《咳嗽的诊断与治疗指南》关于慢性咳嗽病因诊断的程序，采用统一的研究方案，开展了不明原因慢性咳嗽的病因学调查。

本研究覆盖了华南、华北、华东、华西及华中（注：华中地区因合格资料数量不够而退出研究）的10个中心，历时1年完成。本研究共入选患者704例，男性315例，女性389例，平均年龄40.7±13.1岁，平均病程12个月，其中单一病因644例（91.5%），双病因60例（8.5%）。

研究结果显示，咳嗽变异型哮喘（CVA）249例（32.6%），上气道咳嗽综合征（UACS）142例（18.6%），嗜酸性细胞气管炎（EB）132例（17.3%），变应性咳嗽（AC）101例（13.2%）。除上述4种病因外，胃食管反流性咳嗽、感冒性咳嗽、慢性支气管炎、ACEI性咳嗽、支气管扩张也是慢性咳嗽的病因。

这项研究表明CVA、UACS、EB和AC是我国慢性咳嗽患者最常见病因，而且此次调查首次证实EB为国内多地区慢性咳嗽的最常见病因，这与之前国内学者的推测一致。欧美研究表明，上气道咳嗽综合征(鼻后滴漏综合征)、咳嗽变异性哮喘、嗜酸性细胞支气管炎、以及胃食管反流性咳嗽是慢性咳嗽的常见病因，占所有慢性咳嗽的70%～85%。与欧美相比，我国慢性咳嗽患者中CVA更常见，而UACS相对较少；GERC患者的比例远低于美国（4.6%vs.21%），这可能与我国胃食管反流发生率比美国低有关（我国＜10%，美国为15%～20%）。

在我国，前5位慢性咳嗽的病因分别是咳嗽变异型哮喘（32%），上气道咳嗽综合征（19%），嗜酸性细胞气管炎（17%），变应性咳嗽（14%）和胃食管反流(5%)。这些占了病因的87%，以咳嗽为唯一或主要症状的哮喘占慢性咳嗽的第一位，病因分布与国外有所不同。

05 滥用抗生素加重慢性咳嗽

从引起慢性咳嗽的病因来看，有的原因是很容易让患者甚至医生忽视的。最典型的就是胃食管反流会引起的慢性咳嗽。很多患者会问："咳嗽明明是呼吸道的问题，怎么竟会和消化系统扯上关系呢？"

其实，在正常情况下，食管和胃之间存在贲门括约肌，起着类似单向开关的作用，食物只能从食管排入胃内，而胃内消化的食物及胃酸是不能进入食管。然而在某些情况下，胃酸会大量进入食管，临床上称为胃食管反流性疾病。胃酸或胃内容物反流刺激咽喉或误吸入气管，刺激咳嗽感受器导致咳嗽，但更多的情况是胃酸或胃内容物刺激食管黏膜，通过神经反射诱发气道炎症导致咳嗽。

正因为如此，我所总结出胃食管反流是慢性咳嗽的第五大原因，占慢性咳嗽病因的5%。我们建议医生在治疗一些顽固性咳嗽患者时，要注意他们有无胃食管反流性的疾病。

由此可见，慢性咳嗽的病因确实是相当复杂的。除了少数与细菌感染有关的慢性咳嗽疾病外，其余的单纯使用止咳药物或滥用抗生素不仅效果不佳，甚至会进一步加重病情，并引起患者对抗生素的耐药。因此，只有明确慢性咳嗽的病因诊断，针对病因进行治疗，才能取得疗效。

06 诊断慢性咳嗽要做些什么检查

准确诊断慢性咳嗽患者的病因，需要涉及多种检查，包括诱导痰细胞学分析、气道高反应性和咳嗽敏感性测定、24小时食管pH测定、鼻咽镜检查等，但我们认为，医生应具体根据患者的病情选择性地进行有关检查，反对无目的地进行大撒网式检查。

并不是越昂贵的检查越有诊断价值，如慢性咳嗽患者一般情况下无需进行CT检查，这是因为95%以上的慢性咳嗽患者胸部CT均无明显异常。

与此相反，有些检查虽然简单，但却极具诊断价值，如咳嗽变异性哮喘进行支气管激发实验，嗜酸性细胞性支气管炎的诊断关键是依靠诱导痰细胞学检查(痰中嗜酸性细胞超过3%)，而24小时食管ph测定则是目前诊断胃食管反流性咳嗽有效的方法。不过遗憾的是，目前国内多数单位尚未开展此项检查。

当然，胸部X线是诊断慢性咳嗽的一项基本检查，通过检查可以排除一些明显的肺部病变，如支气管肺部肿瘤、肺结核、肺纤维化等。

第四章
居家老年人
最应该注意什么

健康忠告

◆ 老年人健康饮食十要点

◆ 关心老人，注意五个健康信号

◆ 老年人健康需要九个"伴"

◆ 老人如何穿衣对健康最有利

一、老年人健康饮食十要点

老年人怎么吃才健康，这是子女们最为关心的话题。其实，健康的饮食在于平衡膳食。既不缺乏，也不过剩，才是健康饮食的关键。

01 饭菜要香

老年人味觉、食欲较差，吃东西常觉得缺滋少味。因此，为老年人做饭菜要注意色、香、味。

02 质量要好

老年人体内代谢以分解代谢为主，需用较多的蛋白质来补偿组织蛋白的消耗。如多吃些鸡肉、鱼肉、兔肉、羊肉、牛肉、猪瘦肉以及豆类制品，这些食品所含蛋白质均属优质蛋白，营养丰富，容易消化。

03 数量要少

研究表明，过分饱食对健康有害。老年人每餐应以八九分饱为宜，尤其是晚餐。

04 蔬菜要多

新鲜蔬菜是老年人健康的朋友，它不仅含有丰富的维生素C和矿物质，还有较多的纤维素，对保护心血管和防癌防便秘有重要作用，每天的蔬菜摄入量应不少于250克。

05 食物要杂

蛋白质、脂肪、糖、维生素、矿物质和水是人体所必需的六大营养素，这些营养素广泛存在于各种食物中。为平衡吸收营养，保持身体健康，各种食物都要吃一点，如有可能，每天的主副食品应保持10种左右。

06 菜肴要淡

有些老年人口味重，殊不知，盐吃多了会给心脏、肾脏增加负担，易引起血压增高。为了健康，老年人一般每天吃盐应以5克为宜。目前我国一般人群中吃盐量较多，特别是在北方，常超过世界卫生组织制定的标准的1倍（5克），所以我国高血压患者较多。

07 饭菜要烂

老年人牙齿常有松动和脱落，咀嚼肌变弱，消化液和消化酶分泌量减少，胃肠消化功能降低。因此，饭菜要做得软一些，烂一些。

08 水果要吃

各种水果含有丰富的水溶性维生素和金属微量元素，这些营养成分对于维持体液的酸碱度平衡有很大的作用。为保持健康，每餐饭后应吃些水果。

09 饮食要热

老年人对寒冷的抵抗力差，如吃冷食可引起胃壁血管收缩。

且生冷食物多性寒，吃多了会影响脾胃吸收，甚至造成损伤，不利健康。因此，老人要避免吃生冷食物，尤其是在严寒时节更要注意。

⑩ 进食要慢

有些老年人习惯于吃快食，不完全咀嚼便吞咽下去，久而久之对健康不利。应细嚼慢咽，以减轻胃肠负担促进消化。另外，吃得慢些也容易产生饱腹感，防止进食过多，影响身体健康。

二、关心老人，注意五个健康信号

随着年龄的增加，老年人身体健康状况也会随之下降。如果我们上了年纪的父母还在单独居住，而自己又担心他们能不能够自理，或者他们的身体健康状况是否属于正常，不妨在心中提以下五个疑问，看他们是否具有这些健康的警戒信号。如果有，就需要采取相应措施，保证父母的健康和安全了。

01 体重是否下降

不明原因的体重下降可能是某些健康问题的信号，老年人体重下降可能与以下几个因素有关。

做饭困难：老年人操作能力下降，可能他们连做饭都会感觉到困难，长期饮食质量的下降会导致体重的降低。

味觉或者嗅觉丧失：随着年龄的增加，人们的味觉或者嗅觉也会下降，尤其是在60岁之后。另外，疾病或者某些药物也会导致味觉或者嗅觉的丧失。老年人对食物感觉到无味，饭量可能就会下降。

有时候体重下降是由于严重的潜在疾病问题，如营养不良、痴呆、抑郁或者癌症。

02 是否可以照顾自己

注意老年人的表现，衣服是否干净，是否可以照料好自己，每天生活行为如洗澡、刷牙和梳头等是否正常，是否有痴呆、抑郁或者其他异常行为。

也要注意到父母家里，他们是否正常关灯，房间是否干净，是否会经常发生意外事情，如烧伤等。忽视家务可能是痴呆、抑郁或者其他精神疾病的信号。

03 家中和周围是否安全

要注意老年人居住的家中和周边是否安全，如楼梯是否狭窄，有没有最近跌倒现象，如果服药他们是否可以正常阅读药品说明书。

04 精神状况是否正常

注意到老年人的情绪并询问他们的感受。如果情绪或者表现异常，可能是抑郁或者其他健康问题。询问父母平时的活动，是否参与一些简单的锻炼或者社区娱乐活动，是否与朋友们联系，是否保持着自己的爱好或者其他日常活动，有没有参与一些组织或者俱乐部之类的活动。

05 散步是否正常

注意到老年人如何散步。他们是不愿还是不能够走像正常时所走的那样的距离，是否是膝关节或者髋关节炎导致的步行困难，是否需要拐杖或者扶车帮助步行，肌无力、关节疾病和其他年龄相关的改变都可导致老年人的步行问题。如果老年人走路不稳，就容易发生跌倒，这是老年人致残的主要原因。

如果经常出现以上五个问题，可能就需要引起你的警惕了，即使你住的地方离父母很远，也要采取一定的措施保证他们的健康安全。如：经常与父母联系，询问他们的近况，要让他们说实话，看他们是否需要看医生或者作出相应改变。如有必要，可以向亲人、父母的朋友更详细了解他们的情况。

鼓励老年人进行有规律的医学检查，如果你担忧父母的体重下降、抑郁情绪或者其他信号和症状，带他们去医院进行检查以排除疾病。另外，还需要根据情况规律地进行体检，如果患有高血压、糖尿病等疾病，要经常监测血压和血糖。

排除安全隐患。如果你的父母家中或者周围具有一些安全隐患，尽量把这些排除掉，如排除不掉，要提醒他们注意这些。马桶或者门把手是否太高，如果太高可能会导致老年人跌倒。

考虑是否需要家庭护理。如果老年人不能照顾自己，可请保洁人员打扫卫生或者请保姆帮忙照顾。

三、老年人健康需要九个"伴"

一个人的健康不是孤立的，它需要众多内在和外在因素的陪伴和养护，老人身心如果能有九个"伴"，就一定会安康体健。

01 众伴

就是要走出封闭的狭小生活空间，远离孤独，多与人交往和接触，彼此交融，相互信任，相互帮助，以此增强安全感，使老人的身心放松，从而达到健康延寿的目的。

02 德伴

加强道德修养。做到乐善好施，助人为乐，事事通达，心胸宽广，这必然会使老人的心理获得平衡。这样，神经和内分泌系统调节功能也会处于最佳状态，使自己的健康水平得以提高。

03 爱伴

爱家庭，爱社会，爱生活，爱大自然。不仅满足于被别人所爱，更要注重自己奉献爱。爱能使人的胸怀更加宽广，心境更好，心态更健康，从而使老人童心不泯，抗衰延年。

04 乐伴

笑是乐观豁达的象征，是美好心情的自然流露。笑能解除心理上的疲惫和痛苦，使老人的心境坦然，健康长寿。

05 游伴

走低谷，攀高峰，仰望蓝天，远眺大海，游山玩水，返璞归真，实乃老人之健康长寿秘诀之一。

06 动伴

老人能够经常从事一些适宜的劳动和运动。可以利关节，丰肌肉，通血脉，强筋骨，实脏器，增健康，抗衰老。

07 说伴

有话不说憋在心里，时间长久也会生病。无论是高兴的事，还是烦恼的事，无论是喜事还是愁事，老人还是一吐为快。因为，对老人来讲，说也是一种通气化淤的良药。

08 书伴

老人经常看书读报，能使人天天用脑，心胸开阔，益智增神，生活充满乐趣，从而延缓身心的衰老。

09 素伴

居室简朴，衣着朴素，三餐多食素，过一个普通老百姓的生活，该知足时便知足，这对老人的健康长寿也是大有益处的。

四、老人如何穿衣对健康最有利

老年人体力衰退，机体抵抗能力变弱，体温调节功能降低，皮肤汗腺萎缩，冬怕冷、夏惧热。因此，老年人衣着服饰的选择，应以暖、轻、软、宽大、简单为原则。

夏季，老年人不要穿深色的衣服，要选择那些吸汗能力强、通气性好、开口部分宽、穿着舒服、便于洗涤的衣服，以便体热的散发、传导。丝绸不易与湿皮肤紧贴，易于散热，做夏装最合适。

冬季，老年人要选择那些保暖性能好的衣服，但不要穿得太多，以免出微汗，经冷风一吹，反而容易感冒。

穿衣时要特别注意身体重要部位的保温，上半身要注意背部和上臂的保暖，下半身要注意腹部、腰部和大腿的保暖。加一件棉背心，戴顶"老头帽"，对防止受凉有很大帮助。冬天的棉裤较重，易下坠，最好做成背带式。

老年人的衣服要求宽大、轻软、合体，穿起来感觉舒适，同时衣服样式要简单、穿脱方便。不要穿套头衣服，纽扣多的衣服也不宜多，宜穿对襟服装。

老年人的贴身衣服最好用棉布或棉织品，不宜穿化纤衣服。因为化纤内衣带静电，对皮肤有刺激作用，容易引起老年人皮肤瘙痒。但有些患风湿性关节炎的老年人则可以穿用氯纶制成的裤子，因为氯纶产生的静电，对治疗风湿性关节炎有一定的帮助。

双脚是血管分布的末梢，脚的皮下脂肪比较薄，大部分为致密纤维组织，保温作用较差。"寒从脚下生"就是这个道理。老年人由于末梢血管循环较常人更差，也更容易脚冷。双脚受凉会反射性引起鼻黏膜血管收缩，引起感冒，有的老人还会出现胃痛、腹泻、心率异常、腿麻木等症状。因此，老年人要准备齐全不同季节穿的鞋袜。在冬季，最好穿保温、透气、防滑的棉鞋，穿防寒性能较优的棉袜和仿毛尼龙袜。其他季节，老年人宜穿轻便布鞋。老年妇女不要穿高跟鞋，以防崴伤。

后记　记忆中永远的18楼

2003年非典期间，他被中央电视台节目主持人王志称为：能采访到他，是钓到了一条"大鱼"。是的，钟南山院士是记者眼中的大鱼，直到今天。

第一次采访钟院士，是在2004年全国两会，当时很多记者将他团团围住。只要他的身影一出现，记者就会一下子围上一群。真正的"短兵相接"，是在1年之后，同样是在全国"两会"，同样是在北京二十一世纪饭店的全国政协医卫组委员驻地，这一次我有缘专访了钟院士。

从此，他再也没能错开我的视线。

如同走在平路上

那是2005年3月6日的下午，医卫组分组会一结束，钟院士就大步走出会议室。我正在会议室门口接药典委员会的老专家周超凡委员到新浪网，去做我们报社和新浪网联合举办的专题节目，周委员出来了，我正要上前迎他，一下看见了钟院士。我于是立即调转方向紧跟着钟院士往外走。几米外的会议室门口，记者们"长枪短炮"早就围了个水泄不通，钟院士一头钻进楼梯间。一个委员正好从餐厅路过这个楼梯口，她看着我哈哈地直笑："钟院士躲进楼道，还是被记者抓着了！"

我向钟院士提出了我采访的问题，他手上拿着文件夹，一副认真思考我问题的样子，我迅速取出相机，他一边说，我一边拍下了采访的照片。等他说完，我的主意已经有了。我问钟院士："您在这样的环境接受过采访吗？"他身后的墙上一个大大的红箭头指向餐厅。我的想法是继续采访他，不能这样轻易就放过了他。

他于是用手向上一指："那要不上去？"

后来钟院士告诉我，其实这时他的本意是想想把我吓跑也就算了。

上面：18层。我非常清楚。可是，我若说不上去了那我这个记者是怎么当的呢？再说，那决不是我的性格。所以我当时想都没想就回了一句："好吧。"

开始2层我都是和钟院士能够并排走，到第3层，距离就眼看着拉开了。他竟然一步两个台阶，而且像走平路一样，而我是一路快步往上爬。到第五层，我已经是上气接不了下气，而这时又接了一个手机电话，我第一句就告诉电话里的朋友："我要断气了。"说了几句就挂了。我向钟院士喊："你倒是等我一下啊！"他好像根本就没听见。

我咬紧牙关，一口气往上冲！终于到了第15层了。可钟院士的人影根本看不见了，我心想，等我到了18楼，他已经和别人一起从电梯下去了，那我不是白爬了吗？！白爬还不算，多尴尬呀！我心里一急，几步冲到了18层。

"1809"，门开着，我放了心。

钟院士站在房间看着我，他大气不喘："你没事吧？"

我根本直不了腰，大口地喘息不止。他给我倒了半杯凉水："喝吧。"他说好像小时候老师就说肺叶张着不能喝水，他说，我保证你没事。我于是把水喝了，果然好多了。

他让我坐下。他坐在椅子上，微笑着。我赶忙又拿出相机，心还在乱跳，手哆嗦着拍下了这时的他。在发稿时，我为这张照片加了图注：一口气爬上18层楼的钟南山院士，气定神闲。

"好，我现在开始接受你的考试。"他这样对我说。于是作为健康报道的记者，我开始从他，一位年近70的人，为什么可以如此地爬楼说起。

他给了我半小时的采访时间。我知道，一般来说，他10分钟"打发"一个记者就算是时间长的了，特别是两会期间。大概因为我爬了楼，所以优待。

门外等着见他的人一会儿就排起了10来个，他执意等我采访完半个小时。我请求再约时间采访他。

3月8日晚，我终于如愿以偿，等到了钟院士，他同意了我更长时间的采访。

直到今天，一些网站或纸媒体，仍然在"借"用我报道过的长篇采访和图片：钟南山院士的健康生活。

跑步的历史

"钟院士，平时您也经常做爬楼锻炼吗？" 3月8日晚，我的采访话题从爬楼梯开始了。

"不。"他的回答令我十分诧异。不爬楼锻炼怎么就能轻轻松松地爬上18层？！

作为医学专家，钟院士很注意健身，但是他的锻炼的内容里有每天跑步，没有爬楼，那么也就是说，他每天上下楼都是乘电梯？

直到2008年，我因为采写《钟南山传》，来到钟院士所在的广州呼吸疾病研究所采访他，才恍然大悟！原来，爬楼，对于钟院士来说，实在是太小的动作，根本不能和他的锻炼相提并论。他的办公室在5楼，病房、会议室在8楼，这些楼层，他每天都要上下几个来回，都从来是不乘电梯的。

他的部下和学生在他的带动下，也全部是爬楼梯，没有谁会乘电梯。有趣的是，他们总是跟不上他的步伐，他总是大步流星地走在前面，如同在平地走时一样，他们跟着一路小跑。而我则更是气喘吁吁，稍不留神，就连他的影子也看不见了。

这，就是他所说从不爬楼：8层以下的楼每天爬。

钟院士"不爬楼"，他从小就喜欢跑步，这个习惯他竟延续到现在。

在北京读大学时，他曾经是业余的田径运动员，为十项全能。他说中年以后他从来不晨跑，因为根据人体的规律，早晨跑步对身体不好。早晨人内脏功能处于完全放松的状态，如果进行锻炼特别是剧烈的活动，心脑血管会适应不了，这就是为什么有人在早晨跑步会发生意外。

他告诉我，他跑步一般选择在下午，是在下班以后晚饭以前的时间。"我只有在这个时候有空，不在这会儿锻炼，我再找不出时间了"。如果时间宽裕，他会来到离家近的公园里跑跑步，如果时间紧，那也一定要在家里的跑步机上出出汗。

爬楼梯，一度被认为是锻炼心肺功能的最经济的锻炼方式。但很多医学专家也说，爬楼梯会导致人的膝关节损伤，不建议年龄大的人进行登高锻炼。钟院士已经70岁的高龄，还能如此轻松地爬上18楼，这应该是怎样一个说法呢？

"老人不宜爬楼梯锻炼，这样说一般是对的，但也不要一概而论，因为75岁还能跑马拉松的人也有。"他笑着说。

我后来才知道，老年人这个词，在他的"字典"里，根本是查不到的，他任何时候也没有认为自己是老年人。

他说对于身体状况不是很好的人，无论选择何种锻炼，都必须要符合自己的身体条件。

人在年轻时是进行负荷性的锻炼，要多参加竞技类的锻炼。到了中年则需要进行体质的锻炼，通过各种强度高的锻炼提高身体的耐力、力量、柔韧性和速度，比如跑步、拉力等。

钟院士说："耐力训练的主要是心肺功能，力量训练的主要是肌肉功能，柔韧性是各个器官的协调性，速度是反应性，这不是有时间就打打球、星期天爬爬山就能解决的，它需要有规律的锻炼才能够达到。"

到了50岁以后，这时身体的各种功能下降了，就需要功能的锻炼，锻炼的目的就不是增强体质了，而是保持较好的身体功能。

从一般的规律来说，人年龄大了不做登高运动是对的。他说，但是假如一个人从年轻到老都锻炼，这是他原有的习惯，他需要始终有这样一个状态，那么就需要按照他个人的规律来进行。

卧室墙上的单杠

如果有人告诉你，70多岁的钟南山院士，每天还进行肌肉锻炼，你会认为这是一件不可思议的事情吧，但这却是事实。

除了坚持跑步，扩胸器和哑铃也是他经常锻炼的器械。他家卧室的墙壁上安了一个单杠，是为加强肌肉训练用的，平时可做做引体向上。他说："我现在的状态感觉像是中年，还没有到功能减退的时候，还需要体质锻炼。"

钟院士力气很大，这就是肌肉的功劳，而单杠、哑铃等拉力训练，是锻炼肌肉的最好方法。

人体肌肉得不到锻炼，新陈代谢就会减弱，内脏和中枢神经都会受影响，所以肌肉是力量的储存库。

他说，中医的说法是"久坐伤肉"，就是说，长时间坐的人，会损伤肌肉的力量。所以每天坐在办公室里的上班族，最应该进行肌肉的锻炼，肌肉的能量充分，才可以精力充沛地投入工作。相反，肌肉力量不足甚至萎缩的时候，也就是各种慢性疾病容易侵袭的时候。

每个人都有自己的工作，有一定的社会活动。要完成这些事情，如果没有肌肉的力量作保证，就容易疲惫不堪。肌肉是年轻和健美的象征，肌肉的力量不足，只能加速人衰老的进程。

在我采访他时，不断有文件和材料送进来，不断有各种电话，更有络绎不绝的拜访者。繁重的工作量，一旦超出身体的负荷，健康就会受损，所以用他的话说，人必须锻炼。他深有体会地说："用轮换的方式，体能和脑力交替运动，这样会保持脑子清醒、敏锐。"

他工作了几十年，也锻炼了几十年："身体的锻炼，提高了我的工作效率，不然的话，我这样的年龄，每天怎么能完成那么多的工作？！"

他热爱各种运动项目以及与运动相关的活动，可惜，每天高出常人几倍的工作量，使他难以抽出时间去做更多的体育运动。

想长寿不学乌龟

"其实很多人都知道锻炼的好处，但因为工作太忙……"没等我说完，他打断我的话："人为什么总要吃饭和睡觉，因为不得不如此，否则身体就会支撑不下去。而锻炼也是一样。就像一天不刷牙就觉得很不卫生一样，一天不锻炼也会不健康。"

我问钟院士，他的锻炼是出于自我督促，还是自然的动力？他回答："当然是后者，否则就难以达到持之以恒。锻炼不仅需要自我约束，更是出于自觉。"

也有人说，乌龟不动，却也长寿，为什么非得受累锻炼不可？

对此他的回答是，在基本不动的情况下，代谢就会很慢，这是乌龟的生活，但是人是不好和乌龟相比较的，人是社会的人，怎么可能不动？如果像乌龟一样一动不动，人生还有什么价值？

2008年全国"两会"之际，我要报道一篇关于他锻炼身体的文章，当时希望他能够配合一张做俯卧撑的图片，我想象的是，钟院士也许有在地毯上做过俯卧撑的照片，然而他却没有，他随即在诊室的地板上做了几个俯卧撑，让秘书给拍了下来。

随时随地锻炼，这就是钟院士的健康人格。2009年，他已满73岁，然而他出门开会，即使匆匆的一两天，还携带一个5根弹簧钢丝的拉力器。他交谈的片刻之间，就随手可以做十个、二十个拉力动作。

我想，我们虽然也算是很忙，但如他一样忙碌那要差得多远？可是有时间锻炼的是他，而没有时间锻炼的，总是我们。

他曾经在很多场合，都是现身说法，告诉大家养生的办法。特别是对高薪上班族谆谆告诫，一定要摆正工作和健康的关系。

他打开电脑，给我做了一个精彩的演示：健康是玻璃球，一只晶莹璀璨空心的玻璃球，向下坠落，跌在地上就摔得粉碎，让我看到美丽不复存在。然后，另一只是皮球，被比喻为工作，是可以来回弹动，可延缓的，而且是永远存在，弹得回，也可以被推得开。

他认为，从全国来看，北京的上班族亚健康状态最为典型，被总结为：累、烦、躁、灰。累表现为身体不舒服，烦为心理不安宁，躁指行为不恰当，灰是情感不如意。

健康不但指躯体的健康，它还包括心理和精神的健康。在解决工作压力导致的心理和精神问题的种种方式中，钟南山院士最为推崇的是：人的能力有大小，但是乐于助人会让自己开心、痛快。

对待工作的态度，钟院士崇尚孔子的理论：知之者不如乐之者，乐之者不如好之者。

在对事业的追求上，怎样才能同时也有助于身体的健康？他认为，有一个明确的目标，同时为之不懈努力，执著精神有利于健康，但是执著不等于不切实际的追求和妄想。"在追求理想和实现自己目标的过程中，想要有一个良好的身体，首先要明白一点：最好的医生是我们自己。"

坦然面对

最了解钟南山健康状况，经常陪他出差的陆冬晓医生，曾经忧心忡忡地说过多次："说实在的，我们希望他健康，什么病都没有。因为一生病，工作效率下降，他就会特别着急，容易发脾气；可是，他很健康了，我们又担心他真的被累病。"

不堪重负的心脏，曾连续几个月来，不停地向他抗议，就像要武装暴动。

这样不安的跳动，会不会突然就不跳了？"对于死，我早就看开了。"他的话音平静得出奇。

"我现在不打球了，只游泳、跑跑步，拉力还在做，也比以前少一些了。"

73岁的人，不打球了，这还是问题吗？

"最近一直非常疲劳，就是因为工作太多了，有的时候连报纸都没有时间看。"他说起自己的健康，话题总是不能绕开工作上那些事。

他风趣地说："2008年开'两会'的时候身体状况最差了，回来以后更差，也更瘦了。我自己都害怕，2个月，体重减轻了6公斤，肋骨都出来了，当然穿着衣服看不出来，哈哈。"

那一次他以为自己一定是得了恶性病，因为常有吞咽困难的感觉，他以为可能是患了食管癌，所以他平静地对医生说，给他做个检查。他是很理性的，在疾病面前，不会有侥幸心理。

他说："既来之则安之，该是什么就是什么吧，所以我能平静、客观地面对各种身体检查。"

他做了一个胃镜检查，一看食管有一个很大的疤痕，这是医生帮他消除房颤，进行射频消融时，在食管上留下的，"甲状腺肿大之后，我的吞咽就出现了一点问题。哈哈，所以我觉出食管出问题了。"

原来不是癌症，是患了甲状腺炎。

2007年他做的心脏除颤，那时没有一个心脏科的大夫同意他做，全部都反对他做。因为年龄大了，何况心脏除颤术的技术把握也不大，国际上有60%的成功率。后来他听国内那几个专家的详细分析，觉得有道理。之后，请一个从德国回来的专家给他做了这个手术。手术前他非常平静地写了一份遗嘱，写完以后，还认真地修改过。写的是：如果他真的不行了，家人应该平静面对。

钟院士接受手术治疗。之所以很多人反对，是因为大家担心不已。但是他坚持要做，因为如果不做，就老是影响工作效率，他没有时间慢慢去保养。

2007年4月29日早晨8点30分，医生开始为他作手术前的准备工作。他谈笑风生，和医生聊着家常，他用这个办法为医生做心理减压。中午11点他的手术成功了，大家静静地在观察室对他进行护理。

"我很好，活过来了，只是浑身还插着管子。"这是第二天一早，他电话里的声音令人惊喜不已。

健康与工作如同天平

铁打的体质，抵不过积劳成疾！尽管需要手术，但是"我的年龄和我的体质不相称，其实我的体质很好。"他始终是这样坚信。

中医讲究身心医学，他认为这是不能忽视的。他说他一个很好的朋友，是口腔科的主任，通过气管镜检查，发现有肿瘤，没有想到跟他讲了事实以后他的精神完全崩溃，在病房里躺在床上看着天花板一动不动，手术3个星期之后就死了。

钟院士自己也有体会。2004年他得了心肌梗死，当时没觉得什么，做了支架第三天就去了沈阳开会，他就没当回事："一个小的梗死请什么假呀！后来不是就得了房颤吗？结果我的情绪非常低落，为什么呢？原来我是铁打的，什么事都没有，不在乎，突然间出了这个变化，搞得我情绪一下子低落了。"

好的体质接受不了突然间得病的变故。老有病也就认了，为什么人家说一些人有一点结核或什么病，倒能活到九十几？因为他知道这个碗有裂痕了，吃饭的时候小心拿着；相反，很多的好碗一下子摔了，就没有了。钟南山打的这个比喻，是多么的恰当啊！

钟院士认为体质一直很好的人，往往在心理上接受不了突然得病的事实。一直体弱多病的人，平时都会比身体好的人加倍保护自己，因为早就接受了自己是患者这样一个事实。但是身体非常好的人，得病了以后受到的心理打击是非常大的，这个心理打击有的时候让人承受不了，在这种心情下病情也容易恶化得非常快。

所以有一点病，不一定就是坏事，对于人是很好的提醒。这应该是钟南山的经验之谈啊。

尽管诸事缠身、疲于奔命，但是钟南山看上去还是比实际年龄小很多。他哈哈笑着说起一些令他开心的趣事：在入关排长队时，有的窗口是65岁以上可以过的，排队的人也少，所以他和妻子就去人少的那边，但是海关人员总会从这个老人队伍把他请出去："你应该去那边。"第一次，他过去了，然后一想不对，又回来了，问："不是65岁以上的可以从这边过吗？"那位海关把他端详了一阵，让他过去了。时常会有海关人员把他看上半天："1936年出生的？"问他真的假的啊？出关时是这样，入关时也是这样。全不管他的行色匆匆。

除了像海关人员因为他显得年轻而怀疑他的年龄这样的事让他愉快，工作上显示他精力旺盛的事，也更是让他开心。但是研究所出于对他的爱护，把门诊量给他减少到一个下午看十来个患者。但是，他经常是有的患者要看上1个小时，因此，10个患者，他也照样忙到晚上六七点钟。

2003年以前他的门诊都是从中午1点看到晚上9点，足足看8个小时，很多在他身边学习的研究生都受不了。

1981年他从英国回来。从1982年开始，一直到2002年，他都是这样给患者看病，20年没有停过。

钟南山说："只要我在，一般要看50个号。"

50个号，看8个小时，也就是说平均每一个患者看病的时间接近10分钟，这个时间比很多大医院的医生只给1个患者三五分钟问病开药的时间要长得多。

"你刚才说的，我休息得好才显得年轻，休息得不好就老态龙钟？不会吧？"

他说："我何尝不想好好地多休息一会儿？百分之六七十的时间不属于我自己支配，什么事都是急的，都是说我必须得去，不管是学术上的，或是其他。"这是他的无奈。

休息得不好，会显老——他是唯美的人，他记住了这样的话，尽管难以做到。

（叶依　整理并编辑）